Prólogo

Este libro que tienes entre las manos se ha escrito y diseñado para ti, que necesitas alcanzar el nivel B1 en un curso académico, que aspiras a obtener el Diploma de Español como Lengua Extranjera nivel B1, que necesitas que su competencia comunicativa se desarrolle a buen ritmo y que te permita desenvolverte con garantías en situaciones profesionales con empresas y empresarios hispanos. Para alcanzar tan ambiciosos fines, siguiendo un enfoque orientado a la acción, te proponemos un aprendizaje significativo y así, por medio de la resolución de tareas, capacitarte para sobrevivir en las situaciones cotidianas en las que te puedes encontrar cuando estás en un contexto de inmersión.

En este volumen conseguirás alcanzar la competencia comunicativa descrita para cada nivel por el *Marco común europeo de referencia para las lenguas* (A1, A2, B1.1) y adquirirás los componentes léxicos y gramaticales correspondientes listados por los *Niveles de referencia para el español*.

De los 18 módulos que componen esta obra, cada seis corresponden a uno de los niveles (del módulo 1 al 6, el nivel A1; del 7 al 12, el nivel A2; del 13 al 18, el nivel B1.1). Estos módulos tienen coherencia temática y, en todos los casos, apuntan desde el principio a una acción final. Cada módulo se concibe como un camino, como un proceso, en cuatro pasos, que culmina, cada uno de ellos, con una actividad significativa. En los tres primeros pasos, esa actividad significativa puede ser bien de simulación, bien de transmisión de información, bien de resolución de problemas. El paso 4 es un repaso y una invitación a la acción final.

A primera vista, con esta estructura, notarás claramente la progresión en el aprendizaje y, desde el principio de cada módulo, conocerás la propuesta de acción final que es, en todo caso, el eje del trabajo y la meta a la que debes llegar.

Esta obra se completa y se complementa con un cuaderno de ejercicios, para que practiques la lengua todo lo que puedas y así estés bien preparado para tu futuro en español.

Los autores

nivel A1

Competencia pragmático-funcional

- Saludar y despedirse.
- Preguntar e informar del nombre.
- Manejar el lenguaje del aula: pedir que se hable más despacio, se deletree, se repita una palabra, dar instrucciones, pedir aclaraciones.

- Saludar y despedirse.
- Presentarse en el ámbito personal, público y profesional.
- Preguntar por la identidad de otras personas: el nombre y los apellidos, el origen o la nacionalidad.
- Indicar los conocimientos que se tienen en las lenguas.
- Preguntar e informar sobre la profesión, el lugar de trabajo y el puesto laboral.
- Decir una fecha y situar temporalmente una fiesta.
- Preguntar e informar del día del cumpleaños.
- Informarse sobre un número de teléfono.
- Preguntar y dar la dirección de correo electrónico.

- Indicar las ventajas y los inconvenientes de los distintos tipos de alojamientos según las circunstancias.
- Redactar un anuncio.
- Valorar y comparar alojamientos.
- Describir una vivienda.
- Escribir e interpretar una dirección postal en cartas y tarjetas de visita.
- Indicar y recomendar lugares.
- Describir los lugares de interés de una ciudad. Expresar la preferencia y justificarla.
- Preguntar e informar sobre una dirección.
- Llamar la atención de un interlocutor.

- Preguntar y decir la hora.
- Ubicar temporalmente una acción o acontecimiento.
- Hablar de los horarios cotidianos.
- Preguntar e informar de la frecuencia con la que se realizan distintas actividades cotidianas y de tiempo libre.
- Proponer actividades y aceptarlas o rechazarlas.
- Quedar en el ámbito personal, público o profesional.
- Poner condiciones a la realización de una actividad.
- Poner excusas y proponer soluciones.

- Expresar gustos y preferencias.
- Reaccionar ante los gustos de otra persona.
- Manejarse en un restaurante para pedir la comida, informarse de los ingredientes de un plato, pedir recomendaciones y pagar.
- Expresar los motivos (alérgicos, religiosos, ideológicos…) para rechazar un plato.
- Pagar después de un servicio en distintas situaciones.
- Comprar alimentos en un supermercado.

- Describir físicamente a personas.
- Identificar personas por su aspecto físico o por su ubicación.
- Describir una foto y valorarla.
- Establecer los parentescos con alguien.
- Hablar del estado civil de una persona.
- Presentar a los miembros de la familia.
- Describir el carácter de una persona y hablar de su estado de ánimo.
- Expresar la opinión e indicar las relaciones con una persona.
- Valorar positiva o negativamente a alguien.
- Hablar de una persona a la que se admira y describir sus cualidades.

- Hablar del clima y del tiempo atmosférico.
- Expresar la intensidad.
- Informarse del tiempo que hace en un lugar.
- Manejarse en una *boutique* o en una tienda de ropa.
- Describir una prenda de vestir.
- Comprar un regalo y determinar el destinatario.
- Debatir la etiqueta adecuada en cada momento.
- Discutir y organizar las maletas según el lugar de destino.
- Expresar la opinión y justificarla.
- Definir la forma de pagar en un establecimiento público.

Competencia sociolingüística

- Los saludos según el momento del día.
- El contraste *tú* y *usted*.

- Saludar según el momento del día y el grado de formalidad de la situación.
- Dirigirse a alguien y utilizar las fórmulas de tratamiento corrientes dependiendo de la situación.
- Presentarse adecuadamente en las situaciones de comunicación (con amigos, en un hotel, en el trabajo).
- Los usos del pronombre *vos* según la zona geográfica.

- Los tipos de las vías públicas.
- Las características de un piso tradicional.
- Ciudades hispanas como Madrid, Barcelona, Córdoba, Santiago, Málaga, Salamanca, Buenos Aires, Cuzco, ciudad de Panamá…
- Tipos de vivienda.

- La distribución temporal de un día.
- Los horarios comerciales en España.
- Quedar adecuadamente dependiendo de la situación (en el tiempo de ocio con amigos y conocidos, para pedir cita en un servicio o establecimiento públicos, ante una reunión laboral).
- La excusa como fórmula de cortesía ante una negativa.

- Los alimentos básicos en la dieta mediterránea.
- La costumbre de los pinchos y las tapas.
- Las características de un menú tradicional. Formas de pedir en un restaurante de forma cortés y natural.
- Usos cotidianos de los distintos establecimientos.
- Platos tradicionales y sus ingredientes.
- Formas de pedir la cuenta y pagar.
- La costumbre de la propina.

- Expresar elogios.
- El uso de los dos apellidos.
- Expresar disculpas, agradecimiento, etc.
- El concepto de la gran familia en el mundo hispano.
- Los tres grados de proxemia.

- Los climas en el mundo hispano.
- Las estaciones del año en los dos hemisferios.
- Actuar cortésmente en tiendas y establecimientos públicos.
- La fiesta de los Reyes Magos.
- El concepto de la etiqueta y la adecuación en el vestir.
- Tres destinos turísticos: los glaciares chilenos, el Camino de Santiago y Punta Cana.

Hacer la libreta de contactos de la clase.
Pág. 22

Escribir un anuncio para encontrar alojamiento.
Pág. 32

Completar la agenda mensual y quedar con amigos.
Pág. 42

Elegir el menú de una cena con amigos.
Pág. 52

Describir las características que se le piden a un intercambio.
Pág. 62

Preparar las maletas para irnos de vacaciones.
Pág. 72

nivel A2

- Reservar un alojamiento.
- Solicitar un servicio en un hotel.
- Ubicar objetos.
- Describir objetos y valorarlos.
- Explicar las costumbres y los hábitos que se tiene al hacer regalos.
- Hacer recomendaciones y sugerencias de dónde ir, qué ver y qué hacer en la ciudad de uno.

- Los tipos de alojamientos y los servicios que ofrecen.
- Las formas de pedir y solicitar algo de forma cortés.
- Los objetos típicos.

Hacer recomendaciones a los visitantes de su ciudad para disfrutar de la estancia.
Pág. 82

- Hablar de las preferencias y justificarlas.
- Mencionar las actividades realizadas y las que faltan por hacer.
- Describir ciudades y lugares de destino turístico.
- El equipaje de viaje.
- Negociar.
- Comparar lugares.
- Hablar del clima.
- Expresar planes y acciones futuras.

- Las formas de viajar.
- Los destinos turísticos.
- Los intereses turísticos en un viaje por la Riviera Maya.

Elaborar un plan de viaje o de excursión.
Pág. 92

- Explicar y describir estados físicos y de salud.
- Dar consejos y ofrecer remedios.
- Informar del historial médico.
- Dar órdenes y recomendaciones.
- Manejarse en una consulta médica.
- Comprender un prospecto médico.
- Manejarse en una farmacia.

- El historial médico.
- Usos del imperativo como forma de cortesía.
- Presentación de los medicamentos más cotidianos.

Redactar un decálogo de vida saludable.
Pág. 102

- Expresar valoraciones e interés.
- Describir el tipo de lecturas preferido.
- Transmitir una noticia.
- Participar en una conversación.
- Expresar la opinión.

- La prensa española más popular.
- Las secciones de un periódico hispano.
- Fórmulas para tomar la palabra e interrumpir.
- Los turnos de habla.

Contar una noticia y reaccionar ante otras.
Pág. 112

- Confeccionar un currículum vítae.
- Informar sobre sus conocimientos y capacidades cuando se busca trabajo.
- Expresar la opinión y justificarla.
- Comprender recomendaciones laborales.
- Entender ofertas de trabajo y valorarlas.
- Hablar de los estudios y de la experiencia.

- El sistema de las titulaciones.
- Las condiciones laborales.
- Los formatos de las ofertas de trabajo.

Escribir una carta de presentación.
Pág. 122

- Hablar de los sistemas de comunicación preferidos.
- Narrar lo que está ocurriendo en estos momentos.
- Comparar sistemas de comunicación.
- Mantener una conversación por teléfono.
- Describir el pasado y narrar acontecimientos pasados.
- Contar un recuerdo.

- Los nuevos medios de comunicación digitales.
- Fórmulas estereotipadas de comunicación por teléfono.
- Los cambios en la sociedad.

Escribir un artículo para un *blog*.
Pág. 132

nivel B1.1

- Definir una etapa de la vida de una persona.
- Saludar a un conocido e informarse sobre los acontecimientos de su vida reciente.
- Relatar los acontecimientos vividos.
- Contar una anécdota.
- Poner una denuncia y contar un hecho desagradable.

- Las cinco etapas de la vida.
- Los momentos en que se divide un día.
- El formato de una denuncia.

Hacer una entrevista personal a sus compañeros para conocerlos mejor.

Pág. 142

- Escribir una carta solicitando información o matriculándose en un curso.
- Expresar planes futuros y prever los imprevistos que puedan surgir.
- Informarse de las actividades de ocio y tiempo libre.
- Hacer recomendaciones, sugerencias y expresar prohibiciones.
- Hacer una reseña y hacer conjeturas.
- Organizar una excursión.

- La organización de un curso de idiomas.
- Las actividades de tiempo libre y sus horarios.
- Algunas obras representativas del arte, la literatura y el ocio hispanos.

Organizar las actividades para un plan de viaje o de excursión.

Pág. 152

- Dar consejos y recomendaciones en forma personal.
- Describir una fiesta.
- Hacer hipótesis de cómo le gustaría que fuera algo.
- Expresar deseos en situaciones socialmente estereotipadas.
- Expresar probabilidad.
- Justificarse para evitar choques culturales.

- Las celebraciones y las fiestas.
- Las formas de comportamiento en celebraciones.
- Los rituales y comportamientos sociales.
- La justificación como forma de evitar el choque cultural.
- Las festividades tradicionales.

Invitar a un amigo español o hispano a una celebración de su país.

Pág. 162

- Manejarse en un aeropuerto, una estación de trenes o de autobuses.
- Adquirir el billete de tren que se necesita.
- Comprender avisos de megafonía.
- Solicitar información sobre lo que se puede y no se puede hacer en un viaje en avión.
- Resumir una información turística.
- Reproducir las palabras de otra persona.

- Los horarios y tipos de trenes.
- Los tipos de alojamientos y los servicios hoteleros.

Hacer todos los preparativos de un viaje.

Pág. 172

- Expresar la causa y la finalidad de algo o de una acción.
- Expresar acuerdo o desacuerdo.
- Situar temporalmente acontecimientos pasados, habituales o futuros.
- Comprender un anuncio de un piso y manejarse en un alquiler.
- Describir a personas, objetos y lugares de los que se tiene experiencia o a los que se busca.

- Los motivos personales para cambiar de residencia.
- La identidad cultural.
- Los tipos de viviendas y las ofertas inmobiliarias.

Escribir un correo electrónico para hacer sugerencias ante una petición de ayuda.

Pág. 182

- Describir un problema o una avería y proporcionar soluciones.
- Expresar influencia.
- Conocer el especialista en las soluciones domésticas y contratar un servicio.
- Manejarse en una conversación telefónica.
- Dejar y tomar un recado.
- Opinar y valorar.
- Hacer un parte de un siniestro del coche.
- Hacer una reclamación.

- Los profesionales de los arreglos domésticos.
- Los formularios de los servicios y las compras.
- Los procedimientos para reclamar.

Completar una reclamación y protestar.

Pág. 192

¡Hola! ¿Qué tal?
Me llamo María, soy guía turística.
¡Bienvenido al español!

SALUDOS Y DESPEDIDAS

¡Hola!
¿Qué tal?
¿Cómo estás? ¿Cómo está usted?

¡Hasta luego!
¡Hasta mañana!
¡Adiós!

¡Buenas tardes!

¡Buenos días!

¡Buenas noches!

Y tú, ¿cómo te llamas?

Intrusos en la clase de español

Sonidos y letras

a. ▶ Observa las palabras y localízalas en la imagen.

A, a alumno **1**	B, be borrador **2**	C, ce carpeta, diccionario **3** **4**	CH, ce y hache mochila **5**	D, de diccionario **4**	E, e estuche **6**	F, efe florero **7**	G, ge gafas, guitarra, pingüino **8** **9** **10**

H, hache hamaca **11**	I, i interruptor **12**	J, jota tijeras **13**	K, ka kiwi **14**	L, ele lápiz **15**	LL, doble ele silla **16**	M, eme mesa **17**	N, ene pegamento **18**	Ñ, eñe mapa de España **19**

O, o ordenador **20**	P, pe profesor **21**	Q, cu queso **22**	R, erre rotulador, papelera, pizarra **23** **24** **25**	S, ese sacapuntas **26**	T, te televisor **27**	U, u cuaderno **28**	V, uve ventana **29**

w, uve doble kiwi **14**	X, equis examen **30**	Y, ye yogur **31**	Z, zeta pizarra **25**

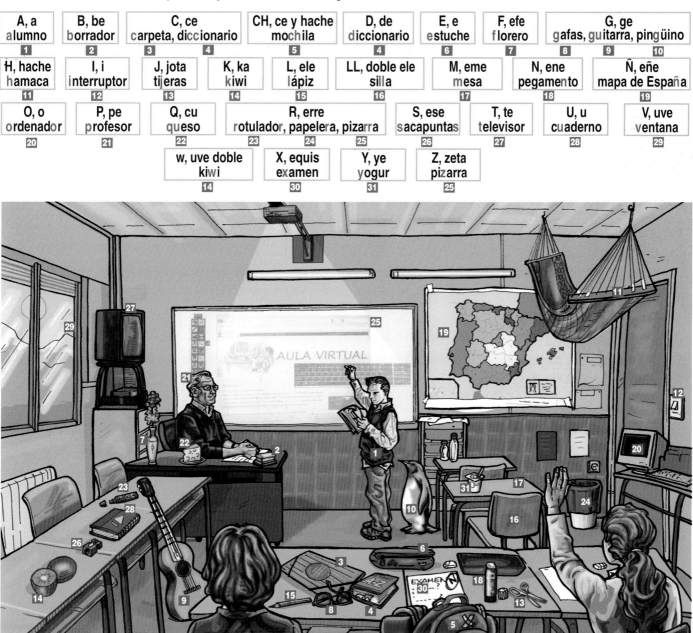

Pista 1

b. ▶ Escucha las palabras y repite.

c. ▶ Marca 7 intrusos en la imagen.

d. ▶ Observa.

- ¿Cómo te llamas?
- Anna Schytzer.
- ¿Cómo se escribe?
- A, ene, ene, a. Ese, ce, hache, ye, te, zeta, e, erre.

e. ▶ ¿Tus compañeros tienen Facebook? Escribe el nombre y apellido de tus compañeros de clase y comprueba la dirección.

La música y la letra del español

1. Las reglas del acento

Pista 2

a. ▸ Lee y escucha las palabras.

1. Las palabras terminadas en vocal, en -n o -s se pronuncian con el acento en la penúltima sílaba.

Alumno – carpeta – diccionario – estuche – llaman – tardes

2. Las palabras terminadas en consonante menos -n o -s se pronuncian con el acento en la última sílaba.

Interruptor – favor – español

3. De no ser así, llevan un acento escrito ´ (tilde) en la sílaba acentuada.

Café – adiós – Ramón – lápiz – estás – dirección

Pista 3

b. ▸ Aplica las reglas.

Marca la sílaba fuerte según la terminación, luego escucha y, si no siguen la regla, escribe la tilde en el lugar adecuado.

Hola – está – ustéd – bolígrafo – luego – mañana – adiós – noches – turistica – español – bienvenido – lápiz – rotulador

2. Las instrucciones de la clase

Pista 4

▸ **Escucha estas palabras y levanta el brazo cuando oigas la sílaba fuerte. Luego, repite y levanta el brazo cuando digas la sílaba fuerte.**

Cierra – abre – lee – escribe – escucha – relaciona – pregunta – habla – subraya

3. Los signos

▸ **Lee las reglas, después completa las frases con los signos adecuados.**

- Se escribe ¿ antes y ? después de una pregunta: ¿Cómo te llamas?

- Se escribe ¡ antes y ! después de una exclamación: ¡Buenos días!

- Se escribe . después de una afirmación o negación: Me llamo Ramón.

.... Puedes repetir, por favor ....
.... Bienvenidos al español ....
.... Cómo se dice en español ....
.... Me llamo María ....
.... Cómo se escribe *bolígrafo* ....
.... Hola ....
.... No entiendo ....
.... Más despacio, por favor ....
.... Adiós ....

Módulo

1

Primeros contactos
con el mundo hispano

En este módulo vamos a...
hacer la libreta de contactos de la clase.

Pasos

Paso 1: Simula y preséntate de forma correcta en distintas situaciones.
Paso 2: Prepárate e informa de tu profesión u ocupación.
Paso 3: Soluciona tus problemas y manéjate con teléfonos de urgencias.
Paso 4: Repasa y actúa, haz la agenda de datos de tus contactos y conocidos.

¿Reconoces los países y las comunidades autónomas? Di los nombres.

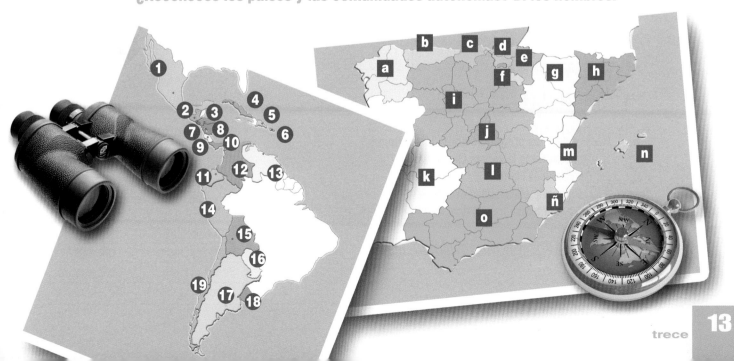

Paso 1
Simula: Preséntate

1 (Aprende a presentarte)

Pista 5

a. ▸ Escucha estos diálogos e identifica las imágenes.

En la clase

En la empresa

En el hotel

Pista 5

b. ▸ Escucha otra vez e identifica en qué diálogo oyes estas expresiones.

☐ Apellido ☐ ¡Buenos días! ☐ ¿De dónde eres? ☐ Encantado ☐ Habitación reservada
☐ ¡Hola! ☐ Nombre ☐ Pasaporte ☐ Profesora ☐ ¿Qué tal? ☐ Tarjeta

c. ▸ Lee y completa los diálogos con las expresiones anteriores.

- ...., soy José López Gil, de Edelsa. Aquí tiene mi ....
- Mucho gusto, señor López.
- ....

1

- Me llamo Mónica y soy la .... de este curso.
- ...., yo me llamo Haruki.
- Hola, Haruki, ¿ ....? ¿Eres japonesa?
- Sí, sí.
- ¿Y ...., de Tokio?
- No, soy de Osaka, pero vivo en Tokio.

2

- ¡Buenas tardes!, tengo una ....
- ¿Su ...., por favor?
- Ana García.
- ¿Y su segundo ....?
- Vargas, García Vargas.
- Ah, sí. ¿Su ...., por favor?

3

d. ▸ Busca las formas de los verbos en los diálogos y completa.

	SER	TENER	LLAMARSE
(yo)			
(tú)		tienes	te llamas
(*vos)	sos	tenés	te llamás
(usted)	es		se llama

*Vos: En Argentina, Paraguay, Uruguay y otros países hispanoamericanos, se utiliza vos en lugar de tú en contextos familiares o muy informales. ¿Cómo te llamás vos?

e. ▸ Responde a las preguntas sobre los diálogos.
1. ¿Cómo se llama la señora García Vargas?
2. ¿De dónde es Haruki?
3. ¿Dónde vive, en la ciudad de Osaka?
4. ¿En qué empresa trabaja don José?

f. ▸ Pregunta a tu compañero y conócelo.

FORMAS DE TRATAMIENTO		
Informal	nombre	*Ana*
Formal	**Don** + nombre	*Don José*
	Doña + nombre	*Doña Ana*
	Señor + apellido	*Señor López*
	Señora + apellido	*Señora García*

Descubre las nacionalidades

a. ▸ **¿Tú qué crees? Relaciona los nombres típicos con su nacionalidad.**

Lars - Lin - Haruki - François - Vladimir - João - Günther - John - Gian Lucca

> Yo creo que Laslov es un nombre húngaro.

> Yo creo que es polaco.

alemán	inglés	ruso	japonés	italiano	sueco	francés	chino	portugués

b. ▸ **Observa el siguiente cuadro y complétalo.**

	Singular		Plural	
	Masculino	**Femenino**	**Masculino**	**Femenino**
		francesa		
	chino			
				japonesas
	inglés			
				rusas
			alemanes	
				suecas
		italiana		

c. ▸ **Completa la regla de masculino y femenino en español.**

El masculino -o (por ejemplo, *ruso*) y el femenino ....;
el plural .... (por ejemplo, ...).
El masculino en consonante (por ejemplo, *francés*) y el femenino..... y el plural...... (por ejemplo, ...).

Atención

Masculino y femenino -e (por ejemplo, *canadiense*), el plural -es.

Habla de los idiomas

Pista 6

▸ **Escucha y marca su nivel de idiomas. Después, indica tus idiomas.**

	JOSÉ LÓPEZ GIL			HARUKI MOTO			ANA GARCÍA VARGAS		
	Inglés	Francés	Chino	Inglés	Francés	Chino	Inglés	Francés	Chino
Comprende									
Habla									
Lee									
Escribe									

Simula: Preséntate

a. ▸ **Identifica las expresiones con la situación.**

1
¡Hola!
¿Qué tal?
Me llamo…
¿Y tú?
Soy de…

2
Soy + *apellido*.
Trabajo en + *empresa*.
Encantado/a.
Mucho gusto.
Aquí tiene mi tarjeta.

3
¡Buenos días!
Tengo una reserva.
¿Su nombre, por favor?
¿Su pasaporte, por favor?

☐ Con nuevos amigos y compañeros de clase.   ☐ En un hotel.   ☐ En el trabajo, en una empresa.

b. ▸ **Elige una de las situaciones y simula una presentación con tu compañero.**

• En clase • En la recepción de un hotel • En una empresa, con el director

Conoce las profesiones y los lugares de trabajo

a. ▸ Relaciona y completa las frases.

> 1. Cocinero 2. Enfermera 3. Peluquería 4. Médico 5. Camareros
> 6. Escuela 7. Oficina 8. Escritora y periodista 9. Casa 10. Panadería

Soy ama de casa, trabajo en...
a

Trabajamos en un bar, somos...
b

Trabajo en un restaurante, soy...
c

Es peluquera, trabaja en una...
d

Soy profesora, trabajo en una...
e

Trabajo en una redacción, soy...
f

Yo hago y vendo pan, trabajo en una...
g

Trabajamos en un hospital, ella es... y yo soy...
h

Soy secretaria, trabajo en una...
i

b. ▸ Completa el cuadro con las profesiones anteriores.

	Masculino	Femenino
-o/-a		cocinera
(consonante)/-a	escritor	
-e/-e	estudiante	estudiante
-ista/-ista	periodista	
	Singular	**Plural**
(vocal)/-s	camarero	
	peluquera	
(consonante)/-es	escritor	escritores

LOS ARTÍCULOS			
Determinado		**Indeterminado**	
Singular	Plural	Singular	Plural
el	los	un	unos
la	las	una	unas
Específico o conocido.		No específico.	
Trabajo en el Hospital Central.		*Trabajo en un hospital.*	

c. ▸ Lee y completa los diálogos con los artículos anteriores.

1
> Enrique: ¿Dónde trabajas?
> Pilar: Trabajo en .... hospital.
> Enrique: ¿............ hospital es grande?
> Pilar: Sí, ... Hospital Central es muy grande. ¿Y tú?
> Enrique: Yo soy profesor de español en .... escuela.

José: Y tú, ¿qué haces?
Daniel: Estudio y trabajo en .... tienda.
José: ¿En qué tienda?
Daniel: Es .... tienda de ropa. En .... tienda solo trabajo por la tarde. Por la mañana estudio.
José: ¿Y qué estudias?
Daniel: Estudio Derecho en .... Universidad Complutense.

d. ▸ **Lee y adivina quién es.**

Yo creo que es un...

1. Trabajo en una oficina. La oficina es turística. Hablo varios idiomas en la oficina.
2. Trabajo en una tienda. Trabajo por la noche. En la tienda hago y vendo pan.
3. Trabajo en una clínica. La clínica es privada. No soy médico.

Aprende los verbos y las actividades

a. ▸ **Completa.**

	SER	TRABAJAR	VENDER	ESCRIBIR
(yo)				
(tú)			vendes	
(vos)	sos	trabajás	vendés	escribís
(usted, él, ella)			vende	
(nosotros, nosotras)	somos			
(vosotros, vosotras)		trabajáis	vendéis	escribís
(ustedes, ellos, ellas)				escriben

ser + nombre + nacionalidad + profesión	trabajar en + lugar/nombre de la compañía con + instrumento

Pista 7

b. ▸ **Escucha e identifica las profesiones. Luego, lee los anuncios y relaciónalos con las personas del audio.**

1
Soy estudiante y busco trabajo. Cuido niños por las noches o ancianos los fines de semana.

2
Necesitamos camareros bilingües para trabajar en un club internacional. Imprescindible inglés.

3
OFERTAS DE TRABAJO

Empresa multinacional de automóviles busca vendedores y comerciales para su nueva sucursal.

c. ▸ **Asocia estas actividades profesionales con los puestos de trabajo.**

Cobrar - Comprar - Conducir - Cuidar enfermos - Dedicarse a la información - Enseñar a niños - Escribir - Hablar - Hacer pan - Lavar y cortar el pelo - Leer - Limpiar - Preparar la comida - Trabajar con el ordenador - Vender

Las amas de casa, los médicos y los enfermeros cuidan a los enfermos.

Informa: Tu ocupación

a. ▸ **Elige una de estas situaciones.**

1 Hablas con un compañero de clase   **2** Escribes un anuncio   **3** Hablas con un cliente

b. ▸ **Elige la expresión más adecuada para tu situación.**
- Soy director de.../jefe de.../empleado de... Me dedico a...
- Estudio en un/una.... Estudio...
- Trabajo en un/una.... El/La... es...
- No trabajo, estoy en paro.

c. ▸ **Ahora di tu profesión (si tienes una o qué quieres ser).**

Paso 3 Teléfonos de urgencia
Soluciona:

 1 **Aprende los números**

a. ▸ Relaciona los números con las cifras.

ocho dieciséis cuatro doce
veintiséis cinco treinta
veinte nueve dieciocho
quince seis diez dos

Pista 8
b. ▸ Escucha y marca las fechas en el calendario. Son las fiestas importantes de España.

Pista 8
c. ▸ Escucha otra vez las fechas y escríbelas junto a cada fiesta.

MESES DEL AÑO
Enero
Febrero
Marzo
Abril
Mayo
Junio
Julio
Agosto
Septiembre
Octubre
Noviembre
Diciembre

1. La Constitución
....

2. Día de la Hispanidad
....

3. San Fermín
....

4. Los Reyes Magos
....

5. Los Santos Inocentes
....

6. Nochebuena
....

d. ▸ ¿Cuáles son las fechas importantes de tu país?

LA FECHA
El + número de día + de + mes (+ de + año): *El 4 de septiembre.*

 2 **Aprende a hablar de la edad y el cumpleaños**

TENER	
(yo)	tengo
(tú)	tienes
(vos)	tenés
(usted, él, ella)	tiene
(nosotros, nosotras)	tenemos
(vosotros, vosotras)	tenéis
(ustedes, ellos, ellas)	tienen

Pista 9
a. ▸ Escucha y contesta a las preguntas.
 1. ¿Son amigos?
 2. ¿Quién tiene 32 años? ¿Y él, cuántos años tiene?
 3. ¿Cuándo es el cumpleaños de él? ¿Y el de ella?

El verbo *tener* se usa para preguntar y decir la edad.

b. ▸ ¿Cuándo es tu cumpleaños? Pregunta a tus compañeros, toma nota y pon en orden los cumpleaños de toda la clase.

1. El cumpleaños de... es el 7 de enero.
2. El cumpleaños de... es el 12 de enero.
3. El cumpleaños de...

3 Soluciona: Teléfonos de urgencia

a. ▸ Observa la imagen e indica dónde crees que llama.

 Urgencias

 Policía

 Bomberos

 Pérdida de tarjetas

 Taxi

 Aeropuerto

 Oficina de turismo

b. ▸ Estos son los teléfonos de urgencias de Málaga. Escucha e identifica dónde llama.

 Pista 10

TELÉFONOS DE URGENCIA

AYUNTAMIENTO DE MÁLAGA

1. Hospital Civil 951 290 000
2. Urgencias Seguridad Social 902 505 061
3. Policía Nacional (urgencias) 091
4. Guardia Civil 062
5. Pérdidas tarjetas (Visa) 913 626 200
6. Teléfono de playas 902 323 330
7. Estación de autobuses 952 35 00 61
8. Aeropuerto 952 04 88 04
9. Clínica Materno Infantil 951 290 000
10. Hospital Clínico Universitario 951 032 000
11. Bomberos Málaga 080
12. Ayuda en carretera 917 421 213
13. Oficina de objetos perdidos 952 327 200
14. Estado de las carreteras 900 123 505
15. Taxi 952 33 33 33
16. Renfe 902 24 02 02

c. ▸ Simula con tu compañero: llama para pedir unos números de teléfono.
- Por favor, el teléfono de Renfe.
- El nueve...

Paso 4 Haz tu agenda
Repasa y actúa:

1 **Aprende y practica los verbos**

a. ▶ Completa con la forma correcta del verbo.

Hola, (llamarse) .... Javier y (tener) .... treinta y ocho años. (Vivir) .... en Madrid y (trabajar) .... en una oficina. (Ser) .... abogado. Ella (ser) .... Rocío, la directora. (Tener) .... treinta años y (ser) .... argentina.

b. ▶ Escribe la pregunta.

1. .... Me llamo Julia.
2. .... Soy de Sevilla.
3. .... Tengo cuarenta años.
4. .... Trabajo en una escuela.

2 **Recuerda y practica la información personal**

Pista 11

▶ Escucha y completa los datos que faltan.

Nombre: Roberto
Apellido: Pinto
Edad: ....
Nacionalidad: Brasileño
Tipo de curso: Estándar
Fecha de inicio: ....
Fecha final: 24 octubre
Duración: ....

Nombre: Giulia
Apellido: ....
Edad: 22
Nacionalidad: Italiana
Tipo de curso: ....
Fecha de inicio: ....
Fecha final: ....
Duración: 4 semanas

3 **Recuerda y practica el género de las palabras**

a. ▶ Mira estas palabras relacionadas con la clase del módulo 0. Clasifícalas y escribe el artículo.

Alumno   Carpeta   Diccionario   Papelera   Mochila   Pegamento   Calculadora
Cuaderno   Ventana   Goma   Agenda   Pizarra   Bolígrafo   Silla

Masculino terminado en -o	Femenino terminado en -a

b. ▶ Observa los ejemplos y relaciona las terminaciones con el género.

> La escuela, el libro, el profesor, la profesión, el verbo, la doctora, la terminación…

1. -o
2. -a   a. masculino
3. -or
4. -ora   b. femenino
5. -ón

c. ▶ Completa con *el/la/los/las*.

1. ...... profesor
2. ...... camarero
3. ...... libros
4. ...... teléfono
5. ...... casas
6. ...... apellidos
7. ...... tiendas
8. ...... pizarras
9. ...... mesa
10. ...... nombre

d. ▶ Completa con el artículo adecuado.

José: ¡Qué bonito! Es .... cuadro muy curioso.
Daniel: Sí, es .... pintura de Picasso.
José: ¿Picasso? ¿Es .... autor del *Guernica*?
Daniel: Exacto. *Guernica* es .... pintura más famosa de Picasso.

e. ▸ **Observa estas fotos y escribe la información sobre los personajes.**

actor/actriz – Allende – Antonio – argentino/a – Banderas – cantante – chileno/a – Cruz – escritor/-a – español/-a
– futbolista – Isabel – Leo – Martin – Messi – Penélope – puertorriqueño/a – Ricky

1. ....
2. ....
3. ....
4. ....
5. ....

4 Recuerda y practica el léxico del trabajo

a. ▸ **Escribe frases para explicar dónde trabaja cada una de estas personas.**

Una profesora trabaja en una escuela.

b. ▸ **Escribe el término.**

MASCULINO	FEMENINO
Camarero	
Cantante	
Tenista	
Traductor	

c. ▸ **Completa con el plural.**
1. Somos ocho alumno.... de nivel básico.
2. Los profesor.... dan buenas leccion.... .
3. Los artista.... son interesante.... .
4. Los doctor.... trabajan en un hospital.
5. El mecánico arregla coche.... .
6. En las clase.... tenemos pizarra.... digital.... .

5 Conoce los nombres familiares

▸ **Observa y relaciona.**

Buenos días, yo soy don José. Bueno, para los amigos, Pepe.

Hola, Pepe.

a. José   1. Charo
b. Francisco   2. Chelo
c. María   3. Mari
d. Consuelo   4. Manolo
e. Rosario   5. Paco
f. Manuel   6. Pepe

6 Recuerda y practica los números

Pista 12

▸ **¿Qué oyes?**

1. ☐ 7   ☐ 8   ☐ 9
2. ☐ B25   ☐ B27   ☐ B29
3. ☐ 914165511   ☐ 914175512   ☐ 913175511
4. ☐ IB3369   ☐ IB3386   ☐ IB3268

Acción

Para el curso, puedes necesitar los contactos. Pregunta y confirma con tus compañeros y tu profesor todos los datos y escríbelos.

¿Cuál es tu teléfono?

¿Tienes móvil?

Mi teléfono es 0034 952 086123.

¿Cuál es tu e-mail?

Sí, el 605808587.

Jose-ramon@edelsa.es.

¿Tienes correo electrónico?

Sí, es el...

¿Cómo se escribe?

josé, guion, ramón, arroba, edelsa, punto, es.

Tu apellido es Mühler, ¿no? ¿Cómo se escribe?

Eme...

¿Cuándo es tu cumpleaños?

Mi cumpleaños es el 10 de agosto.

Contactos

Nombre ....
Apellidos ....
Teléfono ....
Correo electrónico ....
Cumpleaños ....

Nombre ....
Apellidos ....
Teléfono ....
Correo electrónico ....
Cumpleaños ....

Nombre ....
Apellidos ....
Teléfono ....
Correo electrónico ....
Cumpleaños ....

Nombre ....
Apellidos ....
Teléfono ....
Correo electrónico ....
Cumpleaños ....

SÍMBOLOS

0	cero
-	guion
—	guion bajo
@	arroba
.	punto

Módulo

2

Conoce un nuevo entorno

En este módulo vamos a...
escribir un anuncio para encontrar alojamiento.

Pasos

Paso 1: Simula y recomienda tus lugares favoritos a un turista y anota recomendaciones sobre ciudades que no conoces.

Paso 2: Prepárate e informa de tu ciudad favorita y descubre las ciudades de tus compañeros.

Paso 3: Soluciona tus problemas y oriéntate en una ciudad desconocida.

Paso 4: Repasa y actúa, escribe el anuncio para encontrar la vivienda que necesitas.

Ayuntamiento

Estatua de Velázquez. Museo del Prado

Plaza Mayor

Plaza de La Cibeles

Palacio Real

Paso 1 Recomienda tus lugares
Simula:

1 Conoce tipos de alojamientos y valóralos

a. ▸ Lee estos anuncios y relaciónalos con las imágenes.

ANUNCIOS

Se busca compañero de piso de 60 m². 7.ª planta sin ascensor. Céntrico. Dos dormitorios, un baño y cocina completa. Internet.
120 euros/semana.

Se alquila chalé. Jardín y piscina. Cuatro habitaciones, amplio salón, cocina y dos baños. Zona tranquila, ideal familias.
1000 euros al mes.

Hotel Sol y playa de 3 estrellas con piscina y spa. Habitación individual con baño. Desayuno incluido. Bien comunicado, a 100 metros de la playa.
75 euros/noche.

b. ▸ Responde a las preguntas.
1. ¿Cuál es más caro?
2. ¿Cuál está más cerca del centro?
3. ¿Cuál es más cómodo? ¿Por qué?

c. ▸ Con tu compañero, elige un motivo para viajar a un país hispano y prepara una lista de ventajas e inconvenientes de cada tipo de alojamiento según la situación. Puedes utilizar las expresiones que te damos.

> Personal:
> Vas de vacaciones un mes con tu familia.

> Educación:
> Haces un curso de español intensivo, 2 semanas.

> Trabajo:
> Es un viaje de negocios de cuatro días.

> Barato – caro – cómodo – grande – incómodo – independiente – pequeño – práctico para… – social – solitario – tener independencia – tener posibilidad de… – útil para…

	Ventajas	Inconvenientes
Chalé		
Piso compartido		
Hotel		

Valorar		
superlativo	muy	El hotel es muy caro.
comparativo	más	El estudio es más barato.

2 Aprende a describir tu casa

a. ▸ Relaciona los nombres de las habitaciones con el plano.

la cocina ☐
el cuarto de baño ☐
el dormitorio ☐
la entrada ☐
el salón ☐

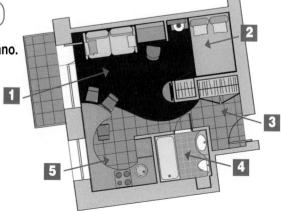

b. ▸ **Lee esta descripción y marca en el texto los verbos *ser*, *estar* y *tener*.**

Yo vivo en un apartamento. Es muy luminoso y está en el centro. Tiene dos dormitorios, una cocina y un salón grande.

ESTAR	
(yo)	estoy
(tú, vos)	estás
(usted, él, ella)	está
(nosotros, nosotras)	estamos
(vosotros, vosotras)	estáis
(ustedes, ellos, ellas)	están

c. ▸ **Completa ahora el cuadro con estas palabras.**

partes   características   localización

Usamos *ser* para informar de las ….................. de la casa. Usamos *estar* para informar de la ….................. de la casa. Usamos *tener* para informar de las ….................. de la casa.

d. ▸ **Observa esta lista, marca las características de tu casa y descríbela.**

PARTES		CARACTERÍSTICAS		TIPOS
Cocina	Garaje	Céntrico	Bien comunicado	Piso (compartido)
Cuarto de baño	Jardín	Tranquilo	Grande	Chalé
Salón	Piscina	Seguro		Habitación
Dormitorio		Luminoso		Apartamento

3 ⏱ (**Fíjate en la forma de dar y escribir una dirección**)

▸ **Lee, con la ayuda de las claves de las abreviaturas, estas direcciones.**

Jorge Cazorla Rubio

Avda. César Augusto, n.º 3-1.º dcha.
28013 Madrid - ESPAÑA

Paco Martínez
Pza. Rey Alfonso, 14

46019 Valencia

Isabel Alarcón
Directora

C/ Ramón y Cajal, s/n - 29017 Málaga

Marta Velasco Diez
Dentista
P.º de Gracia, 8 2.ºA
08045 Barcelona

c/	calle	pta.	puerta
avda.	avenida	blq.	bloque
p.º	paseo	urb.	urbanización
pza.	plaza	s/n	sin número
n.º	número	1.º	primero
dcha.	derecha	2.º	segundo
izda.	izquierda	3.º	tercero

4 (**Simula: Recomienda tus lugares**)

▸ **En parejas o pequeños grupos, imagina que un conocido va a viajar a tu ciudad. Haz una guía de las direcciones de tus locales favoritos y preséntala a la clase.**

	Nombre	Dirección	Motivo de tu preferencia
Un restaurante			
Un bar			
Un hotel			
Una tienda			

Prepárate para describir ciudades

a. ‣ Marca tres opciones. Luego, encuentra un compañero con preferencias similares.

Tu ciudad ideal, ¿qué es importante para ti?

- ☐ Si tiene buen clima.
- ☐ Si tiene playa.
- ☐ Si tiene un centro histórico grande.
- ☐ Si tiene muchos monumentos.
- ☐ Si tiene una gran vida nocturna.
- ☐ Si tiene muchas tiendas.
- ☐ Si tiene historia.
- ☐ Si tiene buenos museos.
- ☐ Si tiene buenos restaurantes.
- ☐ Si tiene espacios para el deporte.
- ☐ Si tiene un buen sistema de transporte público.
- ☐ Si tiene ....

Para mí es importante la playa, el buen tiempo y si tiene tiendas.

Para mí no, para mí los museos.

Para mí también.

Playa de la Barceloneta

Museo del Prado

Parque Güel

Vida nocturna

b. ‣ Observa los planos de Madrid y Barcelona y responde a las preguntas.

¿En Madrid hay un parque grande para pasear?
¿Hay playas en Barcelona?
¿Dónde está el Museo del Prado?

¿Dónde están los edificios de Gaudí? ¿En Madrid o en Barcelona?
¿Dónde está el Camp Nou?
¿En Barcelona no hay aeropuerto?

PARA HABLAR DE EXISTENCIA Y PARA LOCALIZAR	

Hay + *un/una/unos/unas*
       mucho/a/os/as   + sustantivo
       uno/dos/tres...
	*En Madrid hay **muchos museos**.*
	*En Barcelona hay **un parque** de Gaudí.*

Estar + *el/la/los/las* o *mi/tu/su...* + sustantivo o nombre propio	*El Museo del Prado **está** en Madrid.* *El parque Güell **está** en Barcelona.*

c. ▶ Lee y completa la información de la oficina de turismo. Después di cuál de las dos prefieres.

OFICINA
DE
TURISMO

¿Madrid o Barcelona? Es una pregunta difícil. Pero la respuesta es fácil: depende. En Madrid .... muchos museos, por ejemplo .... el Museo del Prado, con la pintura clásica europea, o el Museo Reina Sofía. También .... lugares muy importantes e históricos: .... la Puerta del Sol, la fuente de Cibeles y .... un parque muy bueno, el parque del Retiro. En Madrid .... el Palacio Real. Pero, sobre todo, en Madrid .... una gran vida por la noche: .... muchos bares y restaurantes, y muchas discotecas. En Barcelona .... la Sagrada Familia, la Pedrera, el parque Güell y .... otras obras de Gaudí. .... museos de arte moderno (........ el Museo Picasso, el MACBA, la Fundación Miró) y .... playas muy buenas. En Barcelona .... las Ramblas y el Puerto Olímpico. La mejor idea es visitar las dos ciudades.

2 ## Fíjate en algunos motivos para preferir una ciudad

Pista 13

a. ▶ Escucha la descripción de estas ciudades y completa la información.

Málaga es...
Málaga está en...

Salamanca es...
En Salamanca está...

> Usamos **ser** cuando identificamos ciudades, objetos, personas.
> Usamos **estar** cuando situamos.

b. ▶ ¿Sabes que hay ciudades «repetidas» en el mundo? Completa estos textos con *ser* o *estar*.

SANTIAGO x 3

Chile

..... la capital del país y tiene más de 5,5 millones de habitantes. En la ciudad ..... los principales organismos del gobierno, excepto el Congreso (que ..... en Valparaíso, a 92 kilómetros). El Palacio de la Moneda y la Iglesia de San Francisco ..... los lugares más interesantes.

España

..... una ciudad grande y ..... la capital de Galicia (que ..... en el noroeste). ..... Patrimonio de la Humanidad de la Unesco. ..... una ciudad universitaria y un importante centro religioso cristiano. En el centro ..... la catedral.

Cuba

..... la segunda ciudad del país, después de La Habana. Tiene un puerto muy importante. ..... cerca de la sierra Maestra y el clima ..... cálido y húmedo. Tiene medio millón de habitantes y allí ..... el origen de la música tradicional cubana: el son, el bolero y la trova.

3 ## Informa: Tus preferencias

▶ Presenta a tus compañeros cuál es tu ciudad favorita. Para ayudarte, completa esta ficha.

Mi ciudad preferida es...	
¿Dónde está?	
¿Qué hay?	
¿Cómo es?	

Conoce el vocabulario urbano

a. ▸ Mira el dibujo de este barrio y relaciona las palabras con la imagen.

el banco ☐
el bar ☐
la calle ☐
el colegio ☐
la estación de metro ☐
la farmacia ☐
el hospital ☐
la iglesia ☐
el museo ☐
la parada de autobús ☐
la parada de taxis ☐
el parque ☐
la peluquería ☐
el quiosco ☐
el restaurante ☐
el supermercado ☐

b. ▸ Clasifica las palabras anteriores.

LUGARES TURÍSTICOS	TRANSPORTE	COMERCIO

Aprende el verbo «ir»

a. ▸ Observa y completa el cuadro del verbo *ir*.

• Hola, Pedro, ¿dónde vas?
• Voy al cine.
• ¡Ah! ¿Sí? Nosotros vamos también.
• ¿Cómo vais?
• Vamos en coche.
• Ah, pues voy con vosotros, ¿vale?

IR	
(yo)	....
(tú, vos)	....
(usted, él, ella)	va
(nosotros, nosotras)	....
(vosotros, vosotras)	....
(ustedes, ellos, ellas)	van

b. ▸ Escribe la preposición adecuada.

Ir + ... + lugar
Ir + ... + medio de transporte
Ir + ... + persona

c. ▶ Explica a tu compañero cómo vas a la escuela.

> Pues yo voy de casa a la estación a pie. Voy en el tren a la ciudad y allí voy en metro a la escuela.

Medios de transporte

el tren   el coche   el autobús

el taxi   la moto   el avión

¡Ojo! A pie

3 Aprende a preguntar y dar direcciones

a. ▶ Escucha e identifica los tres lugares y escribe el nombre.

Pista 14

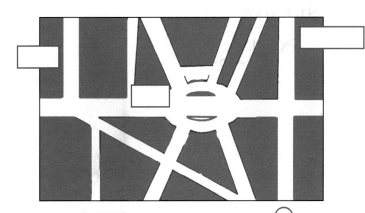

Usted está aquí

b. ▶ Clasifica las frases de los diálogos.

¿Hay una parada de taxi cerca? – Perdone...
– Todo recto por esta calle hasta el semáforo
– Disculpe... – ¿Una farmacia, por favor? –
Al final de la calle, a la derecha.

PARA LLAMAR LA ATENCIÓN

PARA PREGUNTAR POR UN LUGAR

PARA EXPLICAR UNA DIRECCIÓN

4 Soluciona: Oriéntate en la ciudad

a. ▶ Observa la imagen y descríbela. Luego, completa las frases.

Oiga, por favor...
¿Habla usted...?
¿Dónde está...?
¿Cómo se dice en español...?
¿Cómo se va a...?

b. ▶ Simula con tu compañero: Estás perdido. Pregúntale algún lugar interesante y él te indica cómo llegar.

1 Recuerda y practica los usos de «ser», «estar», «tener» y «hay»

a. ▸ Completa y conoce algunas ciudades de América Latina.

Ciudades con encanto

Buenos Aires

.... la capital de Argentina. .... en la región centro-este del país. Buenos Aires .... trece millones de habitantes y .... la segunda ciudad más poblada de Sudamérica. .... el centro político y económico del país. En Buenos Aires .... muchas librerías, teatros, museos, bibliotecas, galerías de arte, porque la ciudad .... un gran centro artístico y cultural.

Ciudad de Panamá

.... la capital de la República de Panamá y .... también la ciudad más grande del país. La ciudad .... en el centro, en el océano Pacífico. Ciudad de Panamá .... más de un millón de personas. En la ciudad .... muchos monumentos antiguos, grandes avenidas y, claro, también .... el canal de Panamá. .... muchos parques naturales donde .... plantas y animales exóticos.

Cuzco (o Cusco)

.... una ciudad que .... en el sureste del Perú. Cuzco .... casi 400 000 habitantes y .... el principal destino turístico de Perú. En Cuzco .... muchísimos monumentos incas. Uno de los lugares más famosos de la ciudad .... la plaza de Armas. En esa plaza .... la catedral.

b. ▸ Completa y relaciona cada frase con su explicación.

¿Hay o está?

a. .... un coche en el garaje.   [es un coche determinado, específico]

b. Mi coche .... en el parque.   [es un coche genérico]

¿Es o está?

a. La puerta .... abierta.   [es una circunstancia, un estado]

b. La ventana .... grande.   [es una característica que identifica]

¿Es o tiene?

a. Pablo .... 24 años.   [indica la profesión]

b. Paula .... enfermera.   [indica la edad]

¿Eres o estás?

a. ¿Dónde ....? En la playa.   [indica nacionalidad, origen o procedencia]

b. ¿De dónde ....? De Granada.   [indica ubicación, localización]

Recuerda y practica el verbo «ir» con las preposiciones

a. ▸ Completa con las preposiciones adecuadas.

1. • ¿Dónde vas?
   • Voy .... el cine.
   • ¿Dónde está el cine?
   • .... el centro .... el pueblo.

2. • ¿Pablo va .... París el jueves?
   • Sí, va .... avión.

A + el... = al
Vamos al banco.
De + el... = del
Voy del banco a casa en metro.

---

3. • Marta está .... la playa. ¡Vamos!
   • Vale, yo voy .... bicicleta.
   • Yo no tengo, pero voy .... pie.

4. • ¿Vas .... la escuela .... coche?
   • No, normalmente voy .... metro, pero hoy voy .... el centro comercial después de clase.

Recuerda y practica las expresiones para orientarte

Pista 15

▸ Escucha e identifica la situación en la que se desarrolla cada diálogo.

Amplía y practica los números ordinales

a. ▸ Relaciona y escribe el femenino.

1.º - 2.º - 3.º - 4.º - 5.º - 6.º - 7.º - 8.º - 9.º - 10.º

☐ cuarto ☐ décimo ☐ noveno ☐ octavo ☐ primero ☐ quinto ☐ segundo ☐ séptimo ☐ sexto ☐ tercero

....

b. ▸ Di estas direcciones postales.

1. C/ Manises, 20 7.ª A   2. P.º Prado, 35 5.ª dcha.   3. Pza. Mayor, 13 9.ª B

Amplía y practica la descripción de una casa

▸ Lee este anuncio y responde a las preguntas.

COMPARTO APARTAMENTO
Apartamento céntrico. Cocina completa (frigorífico, lavadora, microondas), salón grande y luminoso (sofá, televisión e Internet) y habitación individual (cama, escritorio, mesita de noche y armario). Solo extranjeros. 400 euros/mes. Marta: 657483930

1. ¿Es un chalé o un piso?
2. ¿Está lejos del centro?
3. ¿Cuánto cuesta al mes?
4. ¿Qué equipamiento tiene?

Acción

Buscas un alojamiento u ofreces uno. Elige una de estas situaciones.

Quieres hacer un intercambio de casas para las vacaciones.

Quieres alquilar un apartamento, piso o chalé para las vacaciones.

Buscas un piso para vivir en una ciudad hispana.

Escribe un anuncio.

Para escribir el anuncio tienes que...

1. Indicar el lugar donde está o quieres el piso, apartamento o chalé.
2. Si tú lo ofreces, indicar la dirección.
3. Describirlo.
4. Explicar su situación y las comunicaciones (medios de transporte).
5. Informar del precio.
6. Dar tus datos de contacto.

segundamano. es

Provincia:	«Elige provincia» ⬍
Categoría:	«Elige categoría» ⬍
Anuncio de:	⦿ Particular ◯ Profesional
Tipo de anuncio:	⦿ se vende ◯ se compra
Tu nombre:	
e-mail:	
Confirmación e-mail:	
Teléfono:	Ejemplo: 919876543
Código postal:	
Título del anuncio:	

Tu anuncio será rechazado si el título no describe exactamente el producto que ofreces.

Texto:	
Precio:	€

Módulo

3
Organiza tu tiempo

En este módulo vamos a...
completar la agenda mensual
y quedar con amigos.

Pasos

Paso 1: Prepárate e informa sobre los horarios habituales y tu jornada laboral.
Paso 2: Simula y haz citas con tus compañeros de clase.
Paso 3: Soluciona tus problemas y pon excusas sin herir los sentimientos de los demás.
Paso 4: Repasa y actúa, organiza tu agenda del mes y concierta las nuevas citas que quieres.

Calendario azteca

① **Aprende a preguntar y decir la hora**

a. ▸ Observa y marca las horas en los relojes.

- Cuando en Madrid es la una en punto, en Londres son las doce en punto.
- Cuando en París son las dos menos cuarto, en Tokio son las diez menos cuarto.
- Cuando en Londres son las tres y cuarto, en Río de Janeiro son las doce y cuarto.
- Cuando en Río de Janeiro son las diez y media, en Lima son las ocho y media.

En Tokio

En Londres

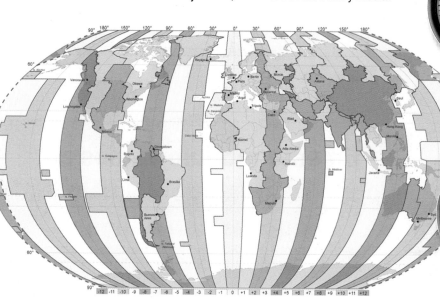

En Río de Janeiro

En Lima

b. ▸ Escribe las horas que marcan estos relojes en estas ciudades y di qué hora es en tu ciudad.

Madrid

Sidney

Buenos Aires

Nueva Delhi

1. .... 2. .... 3. .... 4. ....

Atención

1:00	Es la una.
13:30	Es la una y media.
10:15	Son las diez y cuarto.
21:00	Son las nueve.
21:45	Son las diez menos cuarto.

Pista 16

c. ▸ Escucha y responde a las preguntas.
1. ¿Qué hora es?
2. ¿A qué hora llega el vuelo de Montevideo?
3. ¿A qué hora sale de casa para ir a la escuela?
4. ¿A qué hora sale el tren a Pamplona?
5. ¿A qué hora ponen las noticias?

d. ▸ Relaciona las frases con las horas. ¿Se dice igual en tu país?
1. Es la una del mediodía.
2. Son las tres de la tarde.
3. Son las ocho y media de la tarde.
4. Son las nueve de la noche.
5. Son las seis de la mañana.
6. Son las seis y cuarto de la tarde.

`06:00`   `15:00`

`13:00`   `20:30`

`18:15`   `21:00`

Atención

Son las...	de la mañana
	del mediodía
	de la tarde
	de la noche

2 Conoce los horarios españoles

a. ▸ Mira estas fotos de distintos establecimientos e identifícalos. Luego, di los horarios.

☐ una administración de lotería ☐ un banco ☐ una farmacia ☐ una gasolinera (estación de servicio)
☐ unos grandes almacenes ☐ un supermercado ☐ una tienda de teléfonos y móviles
☐ una tienda de segunda mano ☐ una tienda de última hora

Atención

Desde o de indican el comienzo de un periodo de tiempo.

Hasta o a indican el final de un periodo de tiempo.

Las horas de la tarde se leen:

18:00	las seis de la tarde
19:00	las siete de la tarde
20:00	las ocho de la tarde
22:00	las diez de la noche
24:00	las doce de la noche

1 Loterías y Apuestas del Estado

Lunes a Viernes
Mañana: 09,00 h. a 13,30 h.
Tarde: 17,00 h. a 20,30 h.
Sábados
Mañana: 09,00 h. a 13,30 h.
Tarde: cerrado

2 OpenCor

Abierto los 365 días del año

De 8 de la mañana a 2 de la madrugada

3 DE LUNES A VIERNES DE 9.00.H A 21.00.H

4 HORARIO COMERCIAL
ABIERTO de 10 a 22 horas de Lunes a Sábado

5 E.S. El Carmen nº 3827
Horario 24 horas
Autoservicio 22:00-08:00 h.
Prepago 22:00-08:00 h.

6 HORARIO DE LUNES A SÁBADO DE 9.15 a 21.15 h.

7 LA GRAN OPORTUNIDAD
HORARIO
DE LUNES A VIERNES
MAÑANAS: DE 10:00 A 14:30
TARDES: DE 17:00 A 20:30
SÁBADOS
MAÑANAS: DE 10:00 A 14:00
TARDES: CERRADO

8 CAJAGRANADA
Horario
de lunes a viernes
de 8:30 a 14:15

9 Horario
Lunes a Viernes
10:00 - 14:00
17:00 - 20:30
Sábado
10:00 - 14:00

> Normalmente las tiendas están abiertas por la mañana desde las nueve en punto hasta...

b. ▸ Lee este texto sobre los horarios españoles. ¿Son iguales los horarios en tu país? Primero, marca qué es diferente. Luego, explica las similitudes y las diferencias.

Cuando estamos en un país extranjero, es importante adaptarte al ritmo de vida. Los horarios españoles pueden sorprender y es bueno saber cómo son. En general, la mayoría de los españoles desayuna entre las siete y las ocho. El desayuno es ligero (un café y galletas). El trabajo en las oficinas y bancos empieza a las ocho y media; los colegios, a las nueve. Las tiendas abren entre las nueve y media y las diez. Muchos empleados hacen una pausa entre las diez y diez y media y toman un segundo desayuno. Las tiendas cierran a las dos, porque entre las dos y las tres y media es la hora de la comida. Los restaurantes abren sus puertas desde la una y media hasta las cuatro. Normalmente los trabajadores tienen una o dos horas para comer. Entre las tres y las cuatro están otra vez en su trabajo hasta las seis o las siete. Las tiendas por las tardes abren de cinco a ocho y media, pero los grandes supermercados y los almacenes no cierran al mediodía. Los restaurantes abren por la noche desde las nueve hasta las diez y media o las once, pues los españoles cenan a esa hora. Los bancos solo abren por las mañanas de ocho y media a dos de lunes a sábados. Los domingos, normalmente, todos los bancos y tiendas están cerrados.

3 Informa: Tus horarios habituales

a. ▸ Piensa en tu horario habitual. ¿A qué hora haces estas actividades?

• Trabajar • Ir a la escuela • Hacer la comida • Hacer los deberes • Estudiar • Llegar a casa • Ir a dormir

b. ▸ Ahora, habla con tu compañero y encuentra cuándo tiene tiempo libre para quedar.

> ¿A qué hora llegas a casa?

> A las...

Paso 2
Simula: Haz citas

1 Aprende a hablar de actividades cotidianas

a. ▶ Relaciona las actividades de tiempo libre con las imágenes y marca las que practicas.

- ☐ 1. Bailar
- ☐ 2. Cenar fuera
- ☐ 3. Cocinar
- ☐ 4. Cuidar el jardín
- ☐ 5. Dormir mucho
- ☐ 6. Escuchar música
- ☐ 7. Esquiar
- ☐ 8. Hacer deporte
- ☐ 9. Hacer bricolaje
- ☐ 10. Ir al cine

- ☐ 11. Ir de compras
- ☐ 12. Jugar al fútbol
- ☐ 13. Leer
- ☐ 14. Nadar
- ☐ 15. Navegar por Internet
- ☐ 16. Salir con los amigos
- ☐ 17. Tocar un instrumento
- ☐ 18. Ver la tele
- ☐ 19. Viajar

b. ▶ Completa la siguiente tabla con tus actividades preferidas. Pregunta a tus compañeros y encuentra a alguien con tus mismas aficiones.

	Hacer deporte	Dormir 8 horas	Navegar por Internet	Ir al cine o teatro	Comer o cenar fuera	Bailar en una discoteca	Leer el periódico	Viajar
Todos los días/meses/años								
Todas las mañanas/tardes /noches/semanas								
Una vez por semana/mes/año								
Dos/tres/cuatro... veces por semana/mes/año								
Una vez/dos/tres... veces al día/mes/año								

> ¿Cuántas veces practicas deporte a la semana?

c. ▶ Elige tres actividades y marca la opción según tus preferencias. Después, pregunta a tu compañero para saber si tiene las mismas costumbres.

1. **Afeitarte** ☐ con maquinilla eléctrica ☐ con maquinilla manual
2. **Ducharte** ☐ por la mañana ☐ por la noche
3. ☐ **Levantarte pronto** ☐ **Acostarte tarde**

4. **Lavarte** ☐ con jabón ☐ con gel
5. **Vestirte** ☐ en el baño ☐ en la habitación
6. **Dormirte** ☐ con la tele puesta ☐ sin tele

d. ▸ **Observa y completa.**

	PEINARSE	LEVANTARSE	DUCHARSE
(yo)	me peino	....	....
(tú)	te peinas	....	....
(vos)	te peinás	....	....
(usted, él, ella)	se peina	....	....
(nosotros, nosotras)	nos peinamos	....	....
(vosotros, vosotras)	os peináis	....	....
(ustedes, ellos, ellas)	se peinan	....	....

Atención

Los verbos reflexivos se forman con un pronombre reflexivo antes de la forma del verbo en presente.
Un verbo es reflexivo cuando la persona hace y recibe la acción.
Me ducho por las noches.

e. ▸ **¿Cuáles de estos verbos son reflexivos? Escribe el pronombre.**

Ver...... la televisión – duchar...... por la mañana – desayunar...... café y unas galletas – afeitar...... con maquinilla eléctrica – lavar...... las manos frecuentemente – comer...... en un restaurante

f. ▸ **Lee y completa el texto con una de las expresiones.**

a menudo   a veces   casi nunca   casi siempre   en general   muchas veces   nunca   todos los días

Soy una persona de costumbres. .... me levanto a las seis de la mañana para ir a trabajar. Desayuno un café y, ..., como unas galletas, pero otras, tostadas o un bollo. .... tomo el autobús y .... llego tarde al trabajo. .... me quedo a comer en la oficina, si tengo mucho trabajo y, por la tarde, para relajarme, ... practico natación en la piscina. Cuando llego a casa, ... ceno ligero y .... veo la tele porque me duermo antes de las 23:00.

2 | Aprende a quedar

a. ▸ **Lee y ordena el diálogo.**

- [ ] ¿Cenamos juntos el viernes?
- [ ] ¿Vamos a un restaurante mexicano?
- [ ] ¿Y el sábado?
- [ ] No, el viernes no, es que tengo otra cita.
- [ ] Perfecto. Pues hasta el sábado en tu casa.
- [ ] Pues a las nueve o nueve y media en tu casa.
- [ ] Sí, el sábado sí.
- [ ] Vale, muy bien. ¿Cómo quedamos?
- [ ] Vale, pero mejor a las nueve y media.

QUEDAR	
Proponer una actividad	¿Comemos juntos el jueves?
	¿Y si comemos juntos el jueves?
	¿Quedamos para comer juntos el jueves?
Aceptar	Vale, ¿a qué hora?
	Sí, pero otro día.
	Muy bien, ¿cómo quedamos?
	Perfecto, entonces hasta… en…
Rechazar	No, es que…
	Me viene mal.

b. ▸ **Queda con tu compañero que tiene las mismas aficiones que tú.**

3 | Simula: Haz citas

▸ **Elige una situación y negocia la hora que más te interese.**

1 Buscas fecha y hora para una reunión de trabajo con tus compañeros y tu jefe. Escribes un *e-mail* informando de tu horario y haciendo una propuesta para la reunión.

2 Buscas fecha y hora para ir a cenar con tus compañeros de clase. Habla con todos.

3 Llamas por teléfono para pedir hora en la peluquería y las primeras citas no te vienen bien.

Paso 3
Soluciona: Pon excusas

Conoce actividades para pasar el tiempo

a. ▶ Relaciona estas actividades con las fotos y los lugares. Añade tres más y marca las que te gustan y las que no. Después, di cuáles piensas que son perder el tiempo.

a. Alquilar una película y verla.
b. Cambiar de peinado.
c. Conducir sin un destino fijo.
d. Hacer fotografías.
e. Ir de compras.
f. Ver una película.
g. Tener una cena romántica.
h. Tomar algo.
i. Ver un partido de fútbol.

1. En la cafetería.
2. Por la carretera.
3. En casa.
4. En el centro comercial.
5. En el estadio o en la tele.
6. En la peluquería.
7. En el cine
8. En el parque.
9. En el restaurante.

A

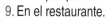

B

C

D

E

G

H

F

I

b. ▶ Propón actividades a tu compañero y reacciona a sus propuestas.

PROPONER ACTIVIDADES		
Proponer hacer algo	¿Vamos a + infinitivo? ¿Y si vamos juntos a...?	¿Vamos a cenar juntos hoy? ¿Y si vamos juntos al centro de compras?
Expresar condición	Si + presente, + presente	Si hace bueno, podemos ir a la playa.

c. ▶ Contesta a las siguientes preguntas y busca un compañero con reacciones parecidas.

1. ¿Qué haces si te quedas sin dinero durante el viaje?
2. ¿Qué haces si el servicio de habitaciones del hotel es malo?
3. ¿Qué haces si el día que quieres ir al campo hace frío?
4. ¿Qué haces si no puedes hacer la facturación on-line de tus billetes de avión?
5. ¿Qué haces si no sabes dónde estás en una ciudad que no conoces?
6. ¿Qué haces si no sabes qué monumentos ver en la ciudad nueva?
7. ¿Qué haces si te quedas sin batería en el móvil y tienes que llamar urgentemente?
8. ¿Qué haces si no comprendes la carta en un restaurante?

> Pues yo, si me quedo sin dinero, utilizo una tarjeta de crédito.

> ¡Ah! ¿Sí? Pues yo no. Yo, si me quedo sin dinero, me voy a casa.

2 Aprende a poner excusas

a. ▸ Relaciona las propuestas con las reacciones.

1. ¿Vamos al cine este fin de semana?
2. He reservado una mesa para esta noche.
3. Podemos ir a pescar el sábado.
4. ¿Te apetece jugar al fútbol esta tarde?
5. ¿Vamos a la discoteca esta noche?
6. ¿Vemos la exposición? Creo que es buena.

a. Es que no tengo ganas de madrugar, quiero dormir mucho.
b. Prefiero hacer otra cosa. Es que no me apetece bailar.
c. ¿Una película? ¿Por qué no vamos de compras?
d. ¿Al museo? Mejor a un concierto, ¿no?
e. ¿Esta tarde? Hace muy mal tiempo, ¿no? Mejor vamos al teatro.
f. No tengo ganas de salir esta noche. ¿Y si cenamos en casa?

b. ▸ Imagina y ponle excusas a tu compañero para no hacer las actividades propuestas en el ejercicio 1.

PONER EXCUSAS	
Rechazar una actividad cortésmente	Es que… no puedo. no me apetece mucho. tengo otra cita.
Proponer una alternativa	Mejor podemos…

PODER	
(yo)	p**u**edo
(tú)	p**u**edes
(vos)	podés
(usted, él, ella)	p**u**ede
(nosotros, nosotras)	podemos
(vosotros, vosotras)	podéis
(ustedes, ellos, ellas)	p**u**eden

3 Soluciona: Pon excusas

a. ▸ Observa la imagen. ¿Qué crees que piensa ante cada invitación?

a. No tengo suficiente dinero.
b. No me interesa.
c. ¡Qué aburrido!
d. Fútbol no, por favor.

b. ▸ Imagina que estás en la misma situación. Pon excusas y ofrece alternativas.

1 Recuerda y practica los verbos

a. ▶ Completa con la forma correcta del verbo.

Todos los días, por la mañana. [levantarse] ....me levanto.... a las 7:30, [afeitarse] ...., [ducharse] ...., [tomar] .... un café, [lavarse] .... los dientes y [peinarse] .... antes de vestirme y de ir al trabajo.

b. ▶ Relaciona y forma frases.

1. Nosotros bebemos
2. Javier y Marta
3. El director llama por teléfono
4. La profesora
5. Yo

a. explica la lección.
b. me ducho en el gimnasio.
c. a la secretaria.
d. escuchan música.
e. café por las mañanas.

c. ▶ Ordena las acciones y escribe un texto breve.

☐ Salir a las 17:00 de la oficina.
☐ Volver a casa a las 20:30.
☐ Jugar al tenis por la tarde.
☐ Ir a comprar.
☐ Levantarse.
☐ Hacer la cena.
☐ Acostarse.
☐ Ducharse.
☐ Ir a trabajar.
☐ Ver la televisión antes de dormir.
☐ Salir para comer (tiene una hora y media de pausa).
☐ Desayunar.

Se levanta a las siete en punto,

2 Recuerda y practica la hora

a. ▶ Escribe la hora.

6:25 ....
1:03 ....
12:45 ....
8:15 ....
10:00 ....
00:35 ....

b. ▶ Observa la agenda típica de un empleado español. Escribe la de un empleado de tu país y explica las diferencias.

07:00 Café.
08:30 Oficina.
11:00 Desayuno.
14:30 Comida (con director comercial).
16:00 Oficina.
17:00 Reunión (con *Marketing*).
18:30 Entrenamiento fútbol (niños).
19:00 Gimnasio.
22:00 Cena.
24:00 Acostarse.

3

Recuerda y practica las expresiones de frecuencia

a. ▸ **Contesta a las preguntas.**

1. ¿Cuántas veces sales a cenar a un restaurante?

2. ¿Con qué frecuencia te cortas el pelo?

3. ¿Cuántas veces te sueles mirar al espejo cada día?

4. ¿Con qué frecuencia te alojas en un hotel?

5. ¿Con qué frecuencia te maquillas/te afeitas?

6. ¿Sueles dormirte mientras vas en transporte público? ¿Con qué frecuencia?

7. ¿Cuántos vasos de agua tomas al día?

b. ▸ **Ordena las acciones con la frecuencia en que las haces y escribe las frases.**

☐ Levantarse .... *Todos los días me levanto a las siete en punto de la mañana.* ....

☐ Ducharse ....

☐ Estudiar ....

☐ Acostarse ....

☐ Peinarse ....

☐ Lavarse las manos ....

☐ Desayunar tostadas con mermelada ....

☐ Publicar en tu *blog* ....

☐ Jugar al fútbol ....

4

Recuerda y practica los verbos reflexivos

▸ **Subraya el nombre de estos objetos y escribe la actividad para la que se usan.**

1. Ducharse
2. Afeitarse
3. Maquillarse
4. Lavarse las manos
5. Peinarse
6. Cepillarse los dientes

¿Crema o maquillaje?
1. ....

¿Champú o jabón?
2. ....

¿Maquillaje o maquinilla
de afeitar?
3. ....

¿Crema de afeitar o
jabón?
4. ....

¿Cepillo o maquinilla?
5. ....

¿Cepillo o pasta de dientes?
6. ....

¿Cepillo o peine?
7. ....

¿Gel o jabón?
8. ....

Acción —

Organiza tu agenda mensual para el próximo mes teniendo en cuenta estos datos.

- Tus clases
- Los deberes
- Los cumpleaños de tus amigos y familiares
- El trabajo
- Días festivos
- Tus actividades de tiempo libre habituales (deporte, gimnasio, cine...)
- Espectáculos: conciertos, partidos de fútbol...
- Otras actividades: hacer compras, ir al banco...
- Viajes, excursiones, visitas programadas
- Programas de televisión que ves normalmente

LUNES	MARTES	MIÉRCOLES	JUEVES	VIERNES	SÁBADO	DOMINGO
			1	2	3	4
5	6	7	8	9	10	11
12	13	14	15	16	17	18
19	20	21	22	23	24	25
26	27	28	29	30	31	

Ahora habla con tus compañeros para encontrar cuándo podéis hacer estas cosas todos juntos. Añade más actividades.
- Repasar juntos.
- Hacer los deberes.
- Salir un día a tomar algo con el profe y hablar en español.
- Ver un vídeo en español.

Módulo

4

Familiarízate con una nueva gastronomía y forma de comer

En este módulo vamos a...

elegir el menú de una cena con amigos.

Pasos

Paso 1: Prepárate e informa sobre tu plato favorito y sus ingredientes.

Paso 2: Simula, elige un menú y desenvuélvete en un restaurante.

Paso 3: Soluciona tus problemas, controla lo que comes y ten en cuenta tus gustos, alergias, etc.

Paso 4: Repasa y actúa, infórmate de los gustos de tus compañeros, diseña un menú, y organiza con ellos una cena.

POTAJE

PISTO

PANACHÉ

MARMITAKO

GAZPACHO

CALLOS A LA MADRILEÑA

Paso 1 Informa: Tu plato favorito

Conoce los nombres de los alimentos

a. ▸ Lee este texto e infórmate de los productos tradicionales españoles.

ESPAÑA, UN GRAN SUPERMERCADO

España es un país con una gran riqueza natural y un clima muy bueno. Por eso, tiene una gran variedad de productos de calidad en todas las partes del país. El pulpo y mariscos, en Galicia, o la leche y los quesos de Asturias.

En Cantabria encontramos los mejores boquerones y en el País Vasco, la merluza..., pero también hay pescado en el sur: las sardinas y las gambas son muy famosas.

Las mejores verduras están en Murcia (tomates, pimientos, cebollas...), en Navarra (espárragos, alcachofas) y en Aragón (lechugas, pepinos, tomates...). También hay fruta muy buena: las fresas de Madrid, los plátanos de Canarias, las naranjas y los limones de Valencia, las cerezas de Extremadura y las peras en Cataluña.

En Extremadura, Castilla-La Mancha y Andalucía, hay muchos olivos, que dan las aceitunas de donde sale el aceite de oliva.

El cerdo (del que sale el famoso jamón ibérico) en Castilla y León y en Andalucía son ejemplos de las mejores carnes.

GOBIERNO DE ESPAÑA · MINISTERIO DE AGRICULTURA PESCA Y ALIMENTACION

b. ▸ Clasifica las palabras marcadas.

CARNES	FRUTAS Y VERDURAS	LÁCTEOS Y HUEVOS	PESCADOS Y MARISCOS	OTROS

c. ▸ Completa la lista anterior con estas palabras. ¿Puedes añadir más?

La cebolla · El pan · El queso · El pollo · La naranja · El atún · La ternera

El tomate · El jamón · El salmón · La lechuga · El huevo · La leche

La manzana · La mantequilla · La patata · El yogur · La mermelada · El plátano · La pasta

d. ▸ Escribe un texto como el anterior con el mapa gastronómico de tu país o región.

2 Descubre el verbo «gustar»

Pista 17

a. ▸ Escucha a esta viajera por España y marca de qué habla y qué le gusta.

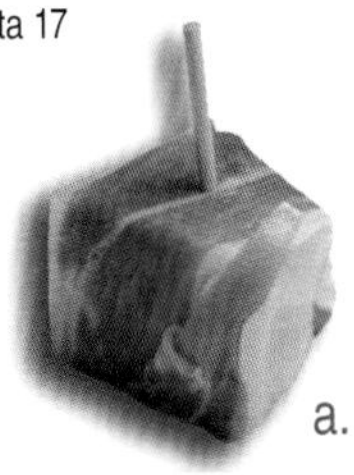

a. ☐ El melón con jamón

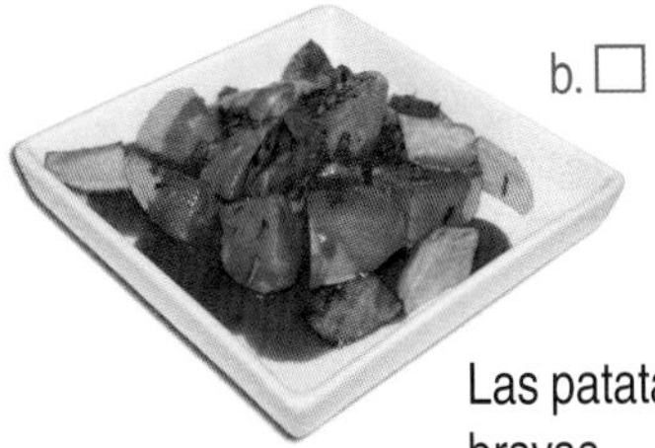

b. ☐ Las patatas bravas

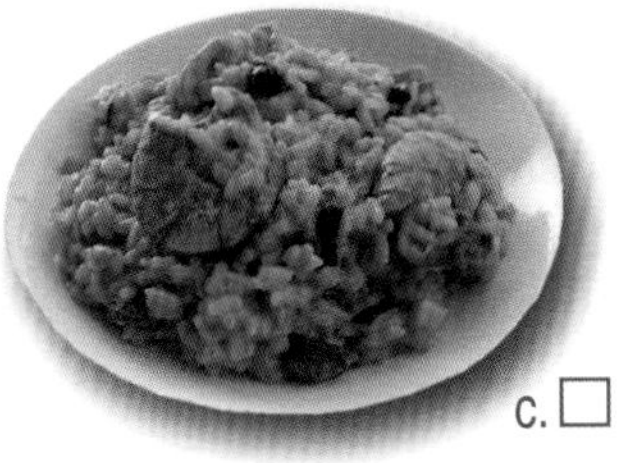

c. ☐ La paella

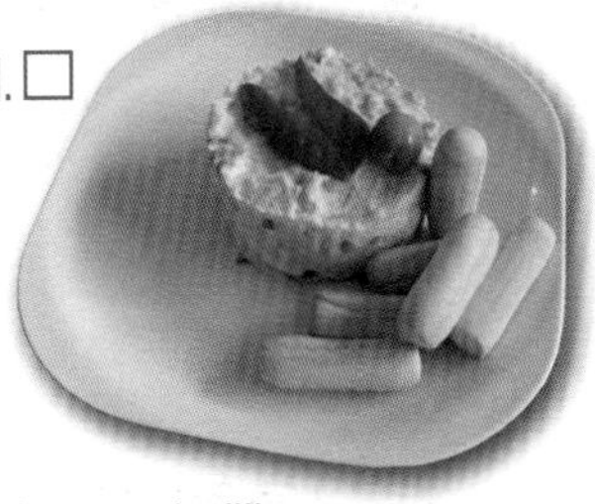

d. ☐ La ensaladilla

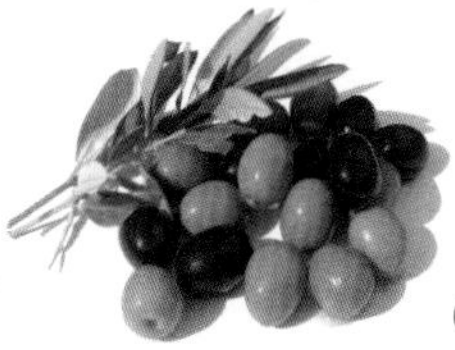

e. ☐ Las aceitunas

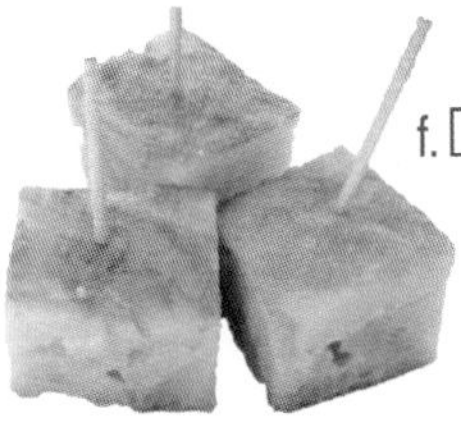

f. ☐ La tortilla de patata

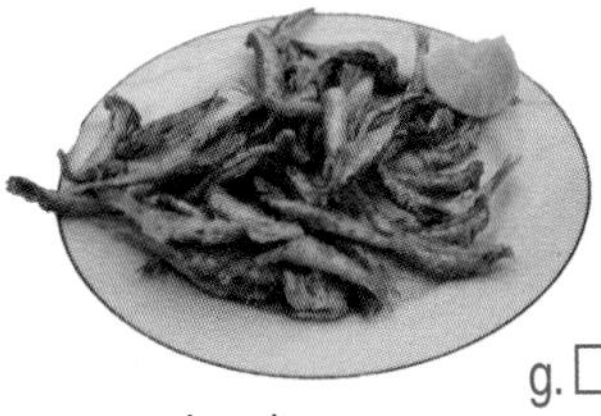

g. ☐ Los boquerones

b. ▸ Observa el verbo *gustar*.

(yo)	a mí	me			
(tú, vos)	a ti/vos	te		gusta	la paella
(usted, él, ella)	a usted/él/ella	le			el pescado
(nosotros, nosotras)	a nosotros/as	nos	+		
(vosotros, vosotras)	a vosotras/as	os		gustan	las tapas
(ustedes, ellos, ellas)	a ustedes/ellos/as	les			los boquerones

c. ▸ ¿Comprendes bien este verbo? Elige la opción correcta.

1. A mi madre y a mí me/nos gusta la gastronomía española.
2. ¿Te gusta/gustan comer tapas?
3. A Pedro se/le gusta cocinar.
4. Los niños les/A los niños les gusta la tortilla de patata.
5. A nosotros nos gustamos/gusta el gazpacho.
6. A ellos le/les gustan los helados.

d. ▸ Haz una lista de las comidas que te gustan y las comidas que no te gustan. Después, habla con tus compañeros y encuentra quién se parece más a ti en sus gustos.

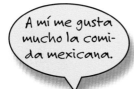

A mí me gusta mucho la comida mexicana.

GUSTO	RESPUESTA
Me gusta el pescado.	A mí también. A mí no.
No me gusta el pescado.	A mí sí. A mí tampoco.

3 Informa: Tu plato favorito

a. ▸ ¿Cuál es el plato típico de tu ciudad? Completa esta ficha y explícala a la clase.

NOMBRE DEL PLATO	
ORIGEN	
INGREDIENTES	

b. ▸ Toma nota de los platos de los que hablan tus compañeros y señala los que te gustan y los que no.

Paso 2
Simula: Elige un menú

1 Aprende a expresar preferencias

a. ▸ Lee estos menús y relaciónalos con el restaurante.

1. Restaurante chino	2. Cafetería	3. Restaurante español
4. Bar de tapas	5. Hamburguesería	6. Restaurante italiano

Menú 1
Primero:
Ensalada
Segundo:
Paella
Fruta
Precio: 9,75 €

Menú 2
Hamburguesa
con patatas fritas
Helado de fresa
Refresco
Precio: 6,50 €

Menú 3
Bebida
Tapa de jamón
Tapa de queso
Precio: 5,25 €

Menú 4
Rollitos primavera
Arroz tres delicias
Ternera con bambú
Helado de chocolate
Precio: 9 €

Menú 5
Tostada, café y
zumo natural
Precio: 3,95 €

Menú 6
Primero:
Macarrones boloñesa
Segundo:
Pizza al gusto
Agua
Precio: 7,50 €

b. ▸ Responde a las preguntas.

a. ¿Cuál te gusta más? ¿Por qué?

b. ¿Con qué frecuencia vas a ese tipo de restaurante?

c. ¿Qué te gusta más...?

1. ... de primero, ensalada, sopa o verdura

2. ... de plato principal, carne o pescado

3. ... de postre, fruta o dulce

2 Descubre cómo actuar en el restaurante

a. ▸ Escucha y completa los diálogos.

Pista 18

1

Camarero:	¡Hola, buenas tardes! ¿Qué van a tomar?
Hombre:	Para mí, de primero, un gazpacho.
Camarero:	Un gazpacho. ¿Y usted, señora?
Mujer:	Yo .... plato único. ¿Qué me recomienda?
Camarero:	¿Qué ...., carne o pescado?
Mujer:	No sé, carne, quizá.
Camarero:	La ternera está muy buena.
Mujer:	De acuerdo, ternera entonces.
Camarero:	Y para usted, de segundo, ¿qué le traigo?
Hombre:	No sé, ¿me .... un pescado? Sí, salmón a la plancha.
Camarero:	Muy bien, salmón a la plancha. ¿Y para beber?
Mujer:	Agua sin gas, por favor.
Hombre:	Yo también, pero con gas.
Camarero:	Gracias.

2

Camarero:	Buenas... ¿Qué les pongo?
Cliente:	Dos refrescos.
Camarero:	De acuerdo, ¿ .... algo de picar?
Cliente:	Pues no sé muy bien... ¿Qué nos ....?
Camarero:	Tenemos de todo. Hay tapas y raciones típicas de la zona. Gambas a la plancha, paella...
Cliente:	¿Te parece bien si .... dos o tres tapas? Tengo hambre.
Camarero:	Tengo pulpo a la gallega y calamares que están buenísimos. También hay patatas bravas.
Cliente:	A ver, nos pone una de...

b. ▸ **Responde a las preguntas.**

1. ¿Dónde están en cada diálogo? Marca las fotos.

2. ¿Qué van a comer en el diálogo 1?
3. ¿Qué hora crees que es en el diálogo 2?
   a. Las 8:00.
   b. Las 10:00.
   c. Las 20:30.
4. ¿Qué piden para beber?
5. ¿Qué no recomienda el camarero?
   a. Gambas a la plancha.
   b. Paella.
   c. Pulpo a la gallega.
   d. Pinchos morunos.

a. ☐   c. ☐   b. ☐   d. ☐

c. ▸ **Ordena, con tu compañero, este diálogo entre un cliente y un camarero.**

☐ Hola, buenas tardes. Tengo una mesa reservada.
☐ Agua mineral.
☐ ¿Sí? Perfecto. Entonces, un gazpacho.
☐ Está muy bien. Gracias.
☐ De acuerdo. ¿Qué desea primero?
☐ Filete... ajá. Gracias. Buen provecho.
☐ ¿A nombre de quién?

☐ Aquí tiene la carta. ¿Qué quiere para beber?
☐ A nombre de Pedro García.
☐ Un filete de ternera en salsa.
☐ Uhmmm... sí. Para una persona, ¿verdad? Sígame, por favor. Esta es su mesa.
☐ ¿Y de segundo?
☐ Vamos a ver... Uhmmm. ¿Qué tal está el gazpacho?
☐ Está muy bueno, muy refrescante.

3 ## Simula: Elige un menú

▸ **Con tu compañero imagina el diálogo: uno es el camarero y el otro el cliente.**

Cliente
1. Saluda.
2. Pide mesa.
3. Pide una recomendación.
4. Pide el primer plato.
5. Pide el segundo plato.
6. Pide una bebida.
7. Pide la cuenta.

Camarero
1. Saluda.
2. Lleva a la mesa.
3. Recomienda un plato.
4. Pregunta por el segundo.
5. Pregunta por la bebida.
6. Di cuánto hay que pagar.

Paso 3 Ten cuidado
Soluciona: con tu dieta

Descubre diferentes tipos de restaurantes y bares

a. ▸ Lee el texto, infórmate e identifica el tipo de restaurante por las ofertas.

Existen muchos tipos diferentes de restaurantes. En los días laborales, a la hora de comer (entre la una y media y las tres y media) es frecuente ir a los **restaurantes de menú del día**. Son restaurantes económicos, de comida casera y poco sofisticada que ofrecen, por un precio único, dos o tres primeros platos, a elegir uno, dos o tres segundos, también para elegir uno, postre, pan y bebida. Para ocasiones especiales, por la noche o días importantes hay muchos **restaurantes a la carta**, es decir, restaurantes que ofrecen una lista grande de platos. Tradicionalmente se elige un primer plato (verdura, sopa, pasta, ensalada) y un segundo plato principal. Si estás con amigos o familiares y quieres una cena informal una muy buena opción son los **bares de tapas** y raciones, platos de comida que se comparten.

b. ▸ **Responde a las preguntas.**
1. ¿Qué tipo de restaurante es más barato?
2. ¿Cuál es más informal?
3. ¿Cuál es más sofisticado?
4. ¿En cuál crees que puedes encontrar platos tradicionales como paella o gazpacho?
5. ¿Cuál es más funcional? ¿Por qué?

Restaurante
EL MARINERO

ENTRANTES
Pan al ajillo .... 2.00€
Queso frito .... 6.00€
Tortilla Española .... 4.00€
Tortilla Española con gambas .... 6.50€
Champiñones al ajillo .... 4.50€
Gambas al ajillo .... 8.00€
Revuelto de gambas con champiñones .... 8.00€
Cazuela de champiñones y gambas .... 9.00€
Pimientos de padrón .... 5.50€
Pulpos .... 8.50€
Lapas .... 9.00€
Puntillas de calamar .... 7.00€
Carpaccio de ternera .... 5.50€
Cocktail de gambas .... 6.50€
Ensalada .... 4.00€
Ensalada de la casa .... 5.50€

COMIDAS
Sopa del día .... 4.80€
Langostinos a la plancha .... 13.00€
Calamares a la plancha .... 12.50€
Calamares a la romana .... 12.50€
Pescado frito o cocido .... 16.00€
Filete de pescado a la plancha .... 9.80€
Filete de pescado rebozado .... 10.50€
Atún a la plancha .... 10.50€
Vieja o sama a la espalda .... 16.00€
Solomillo a la plancha .... 12.00€
Solomillo a la pimienta o salsa de champiñones ... 14.00€
Solomillo El Marinero .... 16.00€
Lomo de cerdo a la plancha .... 9.00€
Pechuga empanada o a la plancha .... 6.00€
Chuletón de novillo o de ternera .... S/P
Filet Mignon .... 15.00€

COMIDAS POR ENCARGO
Pescado a la sal (min. 2 pers. 40.00€) .... 20.00€
Paella (min. 2 pers. 21.00€)
Gallegada de pescado (Mero o Abade, min. 2 pers. 40.00€) ... 10.50€
Caldo de pescado (Mero o Abade, min. 2 pers. 40.00€) .... 20.00€
Caldo pescado de Sama (min. 2pers. 32.00€) ... 20.00€
.... 16.00€

Postres caseros

Aprende a enfrentarte a una carta de un restaurante

a. ▸ Observa la carta de este restaurante e identifica los platos.
1. Identifica tres platos que se hacen con huevo.
2. Encuentra cinco platos que llevan gambas.
3. Marca tres platos con ajo.
4. Localiza:
    a. Un plato de cerdo.
    b. Un plato de ternera.
    c. Un plato de pollo.
    d. Un plato de pescado.

 b. ▸ **Escucha e identifica los platos de los que hablan.**

Pista 19

3 Fíjate en los recursos para controlar la comida

a. ▸ **Relaciona.**

1. No sé los ingredientes de un plato.	a. ¿Puede preparar mi carne sin sal?
2. Soy alérgico al marisco.	b. ¿La paella es de marisco o de carne?
3. No me gustan las anchoas.	c. ¿Tienen paella?
4. Tengo intolerancia a la lactosa.	d. ¿Me puede poner la *pizza* cuatro estaciones, pero sin anchoas?
5. Tengo la tensión un poco alta.	e. ¿Tiene algún postre sin leche?
6. Quiero saber si hay un plato.	f. ¿Qué lleva el arroz negro?

b. ▸ **Simula con tu compañero: estás en un bar y tienes hambre, pero quieres saber qué comes. Pregúntale.**

Perdón, ¿esta «pizza» tiene cebolla?

Sí.

¿Qué lleva esta sopa?

Pues tomate, ajo...

El sándwich

El bocadillo

La ensalada

La pizza

La hamburguesa

La sopa

4 Soluciona: Ten cuidado con tu dieta

a. ▸ **Observa la imagen e indica la expresión que corresponde a la situación.**

Tener alergia a...
No gustar...
No comer porque...
No comer por (mi religión, mi ideología...).
Dar asco.

b. ▸ **Elige uno de estos platos, observalos en la página 43 e infórmate de qué lleva. Pregunta a tus compañeros por los platos y decide qué comes y qué no y por qué.**

PANACHÉ

GAZPACHO

POTAJE

CALLOS A LA MADRILEÑA

PISTO

MARMITAKO

Paso 4 Organiza una cena
Repasa y actúa:

1

Recuerda y practica el verbo «gustar»

a. ▸ **Completa las frases.**

1. A Pedro .... los helados de chocolate.
2. A vosotros .... los espectáculos de flamenco.
3. A Cristina y a Javier .... comer en restaurantes.
4. A mí no .... el frío.
5. A nosotros .... los churros con chocolate.

b. ▸ **Contesta a las preguntas.**

1. A nosotros nos gustan las películas de terror, ¿y a ti?
2. A mí me no me gusta el café con mucho azúcar, ¿y a vosotros?
3. A ellos les encanta estudiar español, ¿y a ti?
4. A mí no me gusta desconectar mi móvil por la noche, ¿y a ti?
5. A ellos les gusta ir al cine cada sábado, ¿y a vosotros?

2

Recuerda y practica el vocabulario de la comida

a. ▸ **Escribe el nombre de estos alimentos. ¿Te gustan?**

El arroz
El café
El calamar
Los espárragos
Las fresas
Las gambas

Atención

+++ Me gusta(n) mucho.

++ Me gusta(n) bastante.

+   Me gusta(n) un poco.

-   No me gusta(n) mucho.

- - No me gusta(n) nada.

1. ....

2. ....

3. ....

4. ....

5. ....

6. ....

b. ▸ **Desde tu punto de vista, ¿qué ingredientes tienen que llevar estas comidas para ser perfectas?**

EL DESAYUNO PERFECTO

LA *PIZZA* PERFECTA

LA ENSALADA PERFECTA

EL BOCADILLO PERFECTO

Para mí, el bocadillo perfecto lleva jamón, queso...

c. ▸ **Expresa tus preferencias. Amplía y pregunta a tus compañeros.**

1. ¿Te gusta el chocolate con leche o sin leche?
2. ¿Te gusta el té? ¿Con limón o con leche?
3. ¿Tomas el café con azúcar o sin azúcar?
4. ¿Te gusta la ensalada con vinagre o sin vinagre?
5. La pasta con tomate, ¿te gusta con queso o sin queso?
6. El agua, ¿con gas o sin gas?

3 ▸ Aprende y practica las formas para pagar

a. ▸ Observa las formas de pagar y relaciona con las situaciones.

La cuenta, por favor.

¿Cuánto es?

¿En efectivo o con tarjeta?

1

2

3

Atención

La propina

En España no es obligatorio dejar propina en bares y restaurantes. El sueldo de los camareros no depende de las propinas. En los restaurantes es frecuente dejar de propina entre un 5% y un 10% del precio total. Y es muy frecuente el redondeo. Por ejemplo, si hay que pagar 11,30 euros, se dejan 12.

b. ▸ Formula frases en cada situación.

1. Terminas de comer y quieres pagar: ....
2. Quieres saber cuánto cuesta un kilo de tomates: ....
3. Pides la cuenta y no tienes suficiente dinero para pagar: ....
4. Tienes una tarjeta Visa y otra American Express: ....

4 ▸ Aprende y practica el verbo «preferir»

a. ▸ Observa y completa.

PREFERIR	
(yo)	....
(tú)	....
(vos)	preferís
(usted, él, ella)	prefiere
(nosotros, nosotras)	preferimos
(vosotros, vosotras)	....
(ustedes, ellos, ellas)	prefieren

Otros verbos: querer, empezar, cerrar, perder, recomendar...

b. ▸ Habla con tu compañero e infórmate.

1. ¿Qué restaurante prefieres normalmente?
   a. Italiano.
   b. Japonés.
   c. De tu país.
2. ¿Qué tipo de comida prefieres?
   a. Casera.
   b. Exótica.
   c. Todo tipo.
3. ¿Qué prefieres?
   a. ¿Café o té?
   b. ¿Fruta o dulce?
   c. ¿Comida frita o a la plancha?

5 ▸ Aprende y practica los pesos y medidas

Pista 20

a. ▸ Escucha estas ofertas de un supermercado, pon los productos en el orden en que los escuchas y anota los precios.

Pista 21

b. ▸ Escucha y haz la lista de lo que tiene que comprar.

Supermercado %

☐ Una botella de leche
☐ Unas manzanas
☐ Un kilo de azúcar
☐ Latas de atún
☐ Filetes de pollo
☐ Un kilo de tomates

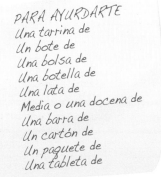

PARA AYUDARTE
Una tarrina de
Un bote de
Una bolsa de
Una botella de
Una lata de
Media o una docena de
Una barra de
Un cartón de
Un paquete de
Una tableta de

Acción

Para organizar una cena con amigos, debes conocer los gustos de tus invitados, confeccionar un menú y hacer la lista de la compra. Infórmate de las siguientes cuestiones.

Infórmate:

1. ¿Cuáles son las comidas preferidas de cada compañero?

2. ¿Hay compañeros que tienen alergias, que son vegetarianos...?

Decide:

1. ¿Cenáis en una casa o vais a un restaurante? Si cenáis fuera, ¿a qué tipo de restaurante vais a ir?

2. ¿Qué menú vais a comer? Si cenáis en casa, tienes que preparar la lista de la compra.
   a. Primer plato.
   b. Segundo plato.
   c. Postre.
   d. Bebida.

Haz la invitación:

1. Fecha y hora de la cena.
   ....
2. Punto de encuentro.
   ....
3. Motivo.
   ....

Módulo

5

Habla de la gente que conoces

En este módulo vamos a...

describir las características que se le piden a un intercambio.

Pasos

Paso 1: Soluciona tus problemas, describe correctamente a alguien e identifica a quien buscas.

Paso 2: Simula y presenta tu familia a tus compañeros.

Paso 3: Prepárate e informa de una persona a la que admiras, sus características, rasgos, etc.

Paso 4: Repasa y actúa, describe el perfil de tu intercambio ideal y preséntate a ti mismo.

Rafa Nadal

Penélope Cruz

Jennifer López

David Bisbal

Antonio Banderas

Ricky Martin

Pedro Almodóvar

Alejandro Sanz

Paso 1 Soluciona: Identifica a quien buscas

Aprende a describir personas

a. ▸ Relaciona estas fotos de unas revistas con sus titulares.

1 Castañas, rubias y morenas en el cine.

2 Los ojos azules del mago.

3 ¿Los más guapos del mundo?

4 El pelo largo y rizado para una noche perfecta.

b. ▸ Marca las palabras para hacer descripciones y completa el cuadro.

ES...	TIENE EL PELO...	TIENE LOS OJOS...	LLEVA...
alto – bajo …..…... – feo delgado – gordo	…..…... – corto liso – ……..…	negros – …..………. – marrones – verdes	gafas – bigote – barba
…….....… – ……..… – …..…... – pelirroja – calvo			

Aprende a identificar personas

a. ▸ Observa las fotos e indica un rasgo físico de cada persona.

b. ▸ Completa con lógica.

- Mira, aquí estamos en Cádiz, en la playa.
- ¡Qué bonita! ¿Quién es el chico ....?
- Es un amigo de mi hermano. Es muy ...., ¿verdad?
- Sí, guapísimo... y muy ...., ¿no?
- Sí, sí... y la chica .... es su novia.

- Y esta foto es durante la comida. El chico .... de pelo .... es mi hermano.
- ¡Es igual que tú!
- ¿Sí? ¿De verdad?

- Mira, aquí estamos los tres hermanos.
- ¡Los tres rubios! ¿Y tus hermanos son gemelos?
- Sí, son ...., pero Luis es más simpático.

c. ▸ Observa el cuadro y transforma las frases.

DEMOSTRATIVOS				
	Masculino		Femenino	
	Singular	Plural	Singular	Plural
• Allí	aquel	aquellos	aquella	aquellas
• Ahí	ese	esos	esa	esas
• Aquí	este	estos	esta	estas

1. Las chicas que están ahí son italianas. ....
chicas son italianas.
2. Los libros que están aquí son del profesor de español. .... libros son del profesor de español.
3. La señora que está allí estudia en mi universidad. .... señora estudia en mi universidad.
4. La bicicleta que está ahí está rota. .... bicicleta está rota.

3 ## Soluciona: Identifica a quien buscas

a. ▸ Observa la imagen y describe al personaje.

INCOMPLETO

CITA A CIEGAS
Soy alto y delgado.
Tengo los ojos
marrones.
Te espero delante
del cine.

b. ▸ La mujer no lo reconoce. Completa el anuncio para ser identificado por su nueva amiga.
c. ▸ Haz una descripción detallada de ti.

Paso 2 Presenta
Simula: tu familia

1 (**Descubre cómo se usan los dos apellidos**)

a. ▸ Observa los documentos y lee la información. Rellena los impresos.

Atención

Los hispanos normal-mente usan dos ape-llidos en documentos oficiales. En general, primero el primero del padre y después el primero de la madre.

Nombre: ....
Primer apellido: ....
Segundo apellido: ....

Nombre: ....
Primer apellido: ....
Segundo apellido: ....

b. ▸ Adivina y completa los apellidos de esta familia en los espacios naranjas.

2 (**Conoce las palabras para hablar de la familia**)

Pista 22

a. ▸ Escucha y completa los datos del árbol. ¿Quién crees que es Carlos?

b. ▸ ¿Qué relación hay entre estas personas? Completa las frases.

padre   hermano   abuelo   madre   abuela

1. Carmen es la ...*abuela*... de Mónica.
2. Pedro es el .... de Mónica y Luis.
3. Luis es el .... de Mónica.

4. Marta es la .... de Mónica y Luis.
5. Miguel es el .... de Mónica.
6. Carmen es la .... de Pedro.

Aprende a presentar a los miembros de la familia

▸ **Completa este texto.**

El resto de mi familia es muy simpática también. .... tío Alejandro (el hermano de mi madre) es muy divertido. Es profesor y tiene mucha energía. .... mujer (............ tía Alicia) trabaja en un hospital. .... hijos son muy pequeños: mi primo Marcos tiene 4 años y .... hermana Cristina solo tiene 2 años. .... abuelos están muy contentos porque tienen dos nietos muy guapos y graciosos.

POSESIVOS		
	Singular	Plural
(yo)	mi	mis
(tú vos)	tu	tus
(usted, él, ella)	su	sus
(nosotros, nosotras)	nuestro, nuestra	nuestros, nuestras
(vosotros, vosotras)	vuestro, vuestra	vuestros, vuestras
(ustedes, ellos, ellas)	su	sus

Alejandro (el marido de .... tía Alicia) es el único cuñado de .... padre y Marcos y Cristina son .... únicos sobrinos. .... padre tiene dos hermanas: .... tías Lucía y Paula. No tienen hijos ahora, pero mi tía Lucía está embarazada y en unos meses .... padres esperan a .... nuevo sobrino (¡es un niño!) y mi hermano Luis y yo a .... nuevo primo. .... familia no es muy grande, pero poco a poco esperamos a nuevos miembros.

Fíjate cómo decir el estado civil

Estar casado/a – Estar divorciado/a – Estar soltero/a – Estar viudo/a – Ser novio/a

a. ▸ **Relaciona cada imagen con el estado civil al que corresponde.**

 Rafa y Eva
 Bea y José
 Adán y Ana
 Juana
 Fernando

a. Fernando está soltero.
b. ....
c. ....
d. ....
e. ....

b. ▸ **Y tú, ¿tienes familia?, ¿estás casado? Infórmate del estado civil de tu compañero.**

Yo estoy casado y tengo dos hijos.
Yo también estoy casado, pero no tengo hijos.

PLURALES	
Abuelo + abuela	abuelos
Hermano + hermana	hermanos
Hijo + hija	hijos
Padre + madre	padres

Simula: Presenta tu familia

a. ▸ **Ahora, con tu compañero, tienes diez minutos para intercambiar la mayor cantidad de información de vuestras familias.**

¿Cuántos hermanos tienes?
¿Cómo se llama tu madre? ¿Cuántos primos tienes?

b. ▸ **Escribe lo que sabes de la familia de tu compañero.**

Paso 3
Informa: Tu ídolo

1 Descubre los adjetivos de carácter

a. ▸ Mira estas fotos y relaciónalas con los adjetivos.

Serio/a

Amable

Triste

Alegre

Nervioso/a

Antipático/a

Tranquilo/a

b. ▸ Con tu compañero, clasifica los adjetivos y forma frases.

SER + ADJETIVO	ESTAR + ADJETIVO
Indica el carácter de una persona.	Indica un estado físico o de ánimo.
La señora de la tienda es muy antipática.	*La chica de la fiesta está alegre.*

c. ▸ Completa estos diálogos con *ser* o con *estar*.

- ¿Tienes un chicle?
- Sí, aquí tienes.
- Gracias. Es que .... muy nervioso por el examen.

- .... muy guapa con ese vestido.
- No, no... ¡qué va! El vestido .... un poco antiguo.

- ¡Pablo! ¡Silencio, por favor!
- ¡Perdón!
- ¿Qué pasa hoy? Tú .... muy tranquilo, pero hoy .... un poco nervioso, ¿no?

- El jefe hoy .... muy preocupado. Seguro que hay un problema.
- ¿Por qué?
- Hombre, la verdad es que normalmente no .... muy simpático, pero hoy .... especialmente antipático.

Aprende a expresar tu opinión

a. ▸ Escucha a estas cuatro personas que han dejado un mensaje en el contestador porque buscan habitación en tu piso compartido. Anota las características positivas y negativas de cada uno.

Pista 23

NOMBRE	POSITIVO	NEGATIVO
Pablo		
Ana		
Bea		
Juan		

b. ▸ Con tus compañeros, discute y decide cuál de los cuatro es el mejor candidato para compartir vuestro piso. ¿Por qué?

c. ▸ Explica a tu compañero tu opinión sobre estas personas. ¿Tenéis opiniones similares?

VALORAR

Creo que es...
Me parece muy...
Me llevo bien/mal porque es...

Trabajador
Sensible
Cariñoso
Inteligente
Divertido
Dulce
Sociable
Tímido

Tu jefe/a
Lady Gaga
Tu suegro/a
Tu familia
Tu profesor/-a
Un/-a compañero/a de clase
Shakira
Ricky Martin
El príncipe Felipe

Informa: Tu ídolo

▸ ¿Ferran Adrià? ¿Cristiano Ronaldo? ¿George Clooney? Todos admiramos a una persona. Presenta a tus compañeros a esa persona que admiras. Habla de quién es, a qué se dedica, de dónde es, cómo es (físicamente y de carácter), de su familia, su edad... ¡todo lo que sepas! Queremos conocerlo.

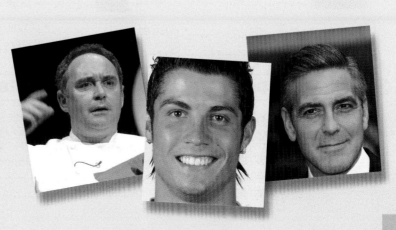

Recuerda y practica los posesivos

▸ **Completa con el posesivo correcto.**

1. ¿Cómo se llaman .... padres? Mi padre se llama Pablo y .... madre, Lucía.
2. ¿Dónde está .... casa? Su casa está ahí, enfrente del supermercado.
3. ¿......................... hermano trabaja en Madrid? No, mi hermano vive en Valencia y trabaja allí.
4. ¿Dónde está vuestra escuela? .... escuela está al final de la avenida.

Recuerda y practica los demostrativos

a. ▸ **Completa.**

- ¿Dónde está el álbum de los niños?
- Creo que es est.......... .
- No, est.......... no es.
- ¿Es .... de ahí?
- ¡Sí, ese es!
- Ahora necesito la foto de la cena en tu casa.
- En est.......... sobre hay fotos de la cena.
- Gracias. Pero hay más, ¿no?
- No sé. ¿.......... fotos de aquí también son de la cena?
- No, ... son de mi casa...
- Est.......... fotos son de las vacaciones en la playa.
- Sí, y .... de allí también.
- Es verdad.

NEUTROS
• Aquello
• Eso
• Esto

b. ▸ **Completa con el demostrativo adecuado para poder hacer frases que se usan en clase.**

- ¿Qué es ..... *eso* .....?
- Es ....

- ¿Qué es ....?
- Es ....

- ¿Cómo se dice ....?
- Se dice ....

- ¿Cómo se dice ....?
- Se dice ....

Recuerda y practica los parentescos

a. ▸ **Resuelve las adivinanzas.**

1. ¿Quién es el hijo de mi hermano?   Es ....
2. ¿Quién es el padre de mi madre?   Es ....
3. ¿Quién es la hija de mis tíos?   Es ....
4. ¿Quién es el hermano de mi padre?   Es ....

b. ▶ Subraya la relación correcta entre estas parejas de famosos.

Toni y Rafa Nadal

1. Toni Nadal es el entrenador de Rafa Nadal y también es su tío/sobrino.
2. Julio y Enrique Iglesias son cantantes. Enrique es el nieto/hijo de Julio.
3. Pau y Marc Gasol son primos/hermanos y los dos son jugadores de baloncesto.
4. Mónica es la hermana/cuñada de Penélope Cruz. Son actrices.

Marc y Pau Gasol

Enrique y Julio Iglesias

Penélope y Mónica Cruz

4 Recuerda y practica los usos de «ser» y «estar»

a. ▶ Subraya la opción completa y marca el significado.

1. La ventana es/está rota.
2. Mi hermano es/está aburrido.
3. Cristina es/está nerviosa.
4. La tarta es/está de chocolate.

b. ▶ Completa con *ser* o *estar* en la forma correcta.

1. Tu padre .... arquitecto.
2. Este bolígrafo .... rojo.
3. No voy a clase porque .... enfermo.
4. El supermercado .... cerrado.
5. ¿Cómo se dice esto en español? .... una bicicleta.
6. ¿Qué .... eso? Una sorpresa.
7. Mi hermano .... en Argentina.
8. Nuestro coche .... roto.

5 Aprende y practica el léxico para describir personas

a. ▶ Marca en la cadena tres adjetivos de descripción física y tres de carácter.

UNICASTAÑOPORLANERVIOSADECONMESASERIOSOMALTODEHERMANANTIPÁTICOTEAMADRILGORDANTES

b. ▶ Relaciona.

1. alto	a. moreno
2. simpática	b. nerviosas
3. rubio	c. mujer
4. marido	d. bajo
5. tranquilas	e. antipática

Acción — Mi intercambio

Una forma muy positiva de practicar la lengua es con un intercambio, una persona que habla español y que aprende tu lengua.

Rellena el formulario, luego, escribe un correo para conocer a tu intercambio ideal.

FORMULARIO DE INTERCAMBIO

¿Cómo eres? Describete a ti mismo.

Características del candidato ideal. Descríbelo.

¿Prefieres: hombre/mujer/da igual?

¿Cuáles son tus aficiones y tus intereses?

Indica cuándo tienes tiempo libre o cuándo podéis veros.

✉ Sin título

Tareas pendientes Categorías Proyectos Vínculos

Enviar Adjuntar Insertar Prioridad Firma

Para: *Haga clic aquí para agregar destinatarios*
CC:
Asunto:

▶ Datos adjuntos: *ninguno*

Calibri   11   N K S T

Módul 6

Prepárate para viajar

En este módulo vamos a...

preparar las maletas para irnos de vacaciones.

Pasos

Paso 1: Prepárate e informa sobre el clima de tu región.
Paso 2: Soluciona tus problemas y consigue hacer lo que quieres en las tiendas y comercios.
Paso 3: Simula y haz sugerencias de cómo ir vestido adecuadamente en cada situación.
Paso 4: Repasa y actúa, decide dónde quieres ir y, según el clima, haz las maletas.

Paso Informa: **1** El clima de tu región

Aprende a hablar del tiempo

🔊 **a.** ▸ **Escucha y señala en el mapa qué tiempo hace hoy.**

Pista 24

Principado de Asturias — Cantabria — País Vasco

Galicia — Navarra — La Rioja — Cataluña

Castilla y León — Aragón

Madrid

Castilla-La Mancha — Comunidad Valenciana — Islas Baleares

Extremadura

Andalucía — Región de Murcia

Canarias — Ceuta — Melilla

EL TIEMPO

Hay nubes	Hay tormenta
Hace sol	Está nublado
Llueve	Hace viento
Graniza	Hay niebla
Nieva	

• Hace bueno, calor
• Hace frío

Pues en Cataluña hoy hace...

b. ▸ **Elige una de las autonomías y explica qué tiempo hace allí.**

Descubre el clima de los países hispanos

a. ▸ **Elige un texto, léelo y contesta a las preguntas. Luego, resúmeselo a un compañero.**

España

Tiene un clima mediterráneo. Llueve en primavera y en otoño. En el norte, está nublado gran parte del año y llueve bastante, por eso el paisaje es muy verde. En el centro, el clima es mucho más seco y hace frío en invierno y calor en verano. El este es muy templado con un invierno corto y mucho sol. En el mes de agosto, hay bastantes tormentas. En Canarias el clima es tropical y hace bueno todo el año.

1. ¿En qué épocas del año llueve?
2. ¿El tiempo del norte es parecido al tiempo de Canarias?
3. ¿Qué ocurre durante el mes de agosto en el este?
4. ¿Cómo es el clima del centro?

Bolivia

El clima varía mucho dependiendo de la zona: desde el clima tropical en Los Llanos hasta el clima polar en las altas cordilleras de los Andes. Las temperaturas dependen de la altitud, pero cambian poco según las estaciones. Llueve mucho durante el verano, especialmente en el norte. Un fenómeno característico de Bolivia es el *surazo*, un viento frío que baja muchísimo las temperaturas.

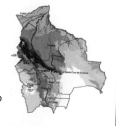

1. ¿Cambian mucho las temperaturas en cada estación?
2. ¿En qué estación llueve más?
3. ¿Qué es el *surazo*?

Chile

El clima cambia porque el país es muy largo. Generalizando, el norte tiene un clima seco con temperaturas relativamente altas. Al sur, hay un clima más fresco y más húmedo. Llueve más durante los meses del invierno. Además hay un clima tropical lluvioso en isla de Pascua y un clima polar en el territorio chileno antártico.

1. ¿Por qué hay mucha variación en el clima?
2. ¿En qué estación llueve más?
3. ¿Dónde hay clima polar?

b. ▶ **Explica las características de estos cuatro tipos de clima. ¿Cómo es el clima donde tú vives?**

- Clima mediterráneo
- Clima tropical
- Clima desértico
- Clima continental

LAS ESTACIONES DEL AÑO
• La primavera
• El verano
• El otoño
• El invierno

Fíjate en cómo expresar la intensidad

MUY Y MUCHO		
Muy + característica	adjetivo	*La lluvia es **muy** intensa.*
	adverbio	*La tormenta está **muy** lejos todavía.*
Mucho/a/os/as + personas u objetos	sustantivo	*Hay **muchas** ciudades inundadas por las lluvias.*
Acción + **mucho**	verbo	*Este año está lloviendo **mucho**.*

▶ **Completa con *muy* o *mucho(s)*.**

1. • ¿Está lloviendo ahora?
   • Sí, llueve ....
   • Pff, es .... aburrido...

2. • Es un chico .... inteligente.
   • Sí y, además, trabaja .... en clase.

3. • ¿Está .... lejos el aeropuerto?
   • No, no. Está .... cerca y, además, hay .... autobuses y trenes que van del aeropuerto al centro. Es .... fácil llegar.

4. • Necesito un paraguas nuevo. Este está .... viejo.
   • Yo te voy a regalar un paraguas .... bonito.
   • ¡Qué bien! Lo necesito porque voy a ir a La Coruña y allí llueve ....

Informa: El clima de tu región

▶ **Elige uno de los dos correos electrónicos y contesta explicando el clima en tu ciudad.**

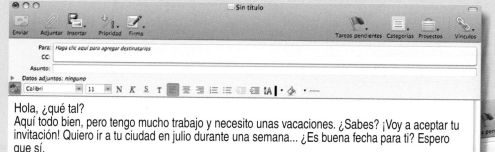

Hola, ¿qué tal?
Aquí todo bien, pero tengo mucho trabajo y necesito unas vacaciones. ¿Sabes? ¡Voy a aceptar tu invitación! Quiero ir a tu ciudad en julio durante una semana... ¿Es buena fecha para ti? Espero que sí.
¡Ah! ¿Cómo es el tiempo allí en julio?
Bueno, muchos besos,
Caroline

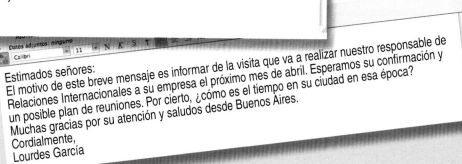

Estimados señores:
El motivo de este breve mensaje es informar de la visita que va a realizar nuestro responsable de Relaciones Internacionales a su empresa el próximo mes de abril. Esperamos su confirmación y un posible plan de reuniones. Por cierto, ¿cómo es el tiempo en su ciudad en esa época?
Muchas gracias por su atención y saludos desde Buenos Aires.
Cordialmente,
Lourdes García

Paso 2 Consigue lo
Soluciona: que quieres

a. ▸ Observa y escribe los nombres.

e. ....

b. ....

c. ....

d. ....

j. ....

a. ....

g. ....

h. ....

i. ....

el abrigo
el bolso
las botas
la bufanda
los calcetines
la chaqueta y la camisa
la corbata
la falda
el jersey
los pantalones
el paraguas
el vestido
los zapatos

f. ....

k. ....

l. ....

m. ....

b. ▸ Relaciona.

¿Con qué prenda asocias…?
1. La primavera
2. El verano
3. El otoño
4. El invierno

El paraguas con el invierno, que llueve mucho.

Uy, no, con la primavera…

a. ▸ Observa esta conversación. Fíjate en los pronombres y hazla más natural.

• Buenas tardes, ¿tienen chaquetas de señora?
• Hola. Sí, claro. Tenemos las chaquetas de señora ahí, detrás de los bolsos.
• Necesito una chaqueta de señora de color negro.
• Lo siento, ahora solo tenemos chaquetas de señora en azul y en gris.
• Bueno… ¿puedo ver la chaqueta de señora en gris?
• Por supuesto. Aquí tiene la chaqueta de señora en color gris.

PRONOMBRES DE COMPLEMENTO DIRECTO		
	Masculino	Femenino
Singular	lo	la
Plural	los	las

• ¿Tienen esta camisa en otro color?
• Sí, **la** tenemos blanca y rosa.
• ¿**Las** puedo ver?
• Sí, claro, aquí **las** tiene.

b. ▶ Completa los diálogos. Luego, relaciónalos con la situación.

1. • ¿Tienen camisetas para jugar al baloncesto?
   • Sí, ………… tenemos en la sección de deportes.

2. • ¿Conoces la ropa de Mango?
   • Sí, claro, ………… conozco muy bien. En mi país hay muchas tiendas de Mango.

3. Esta falda es muy bonita, pero ………… quiero de otro color.

4. • ¿Le quedan bien los zapatos?
   • No, son pequeños. ¿………… tiene en una talla mayor?
   • Lo siento, pero creo que solo ………… tenemos en la 42.

5. • Buenos días, esta chaqueta es muy grande. ¿………… puedo cambiar?
   • Sí. ¿………… quiere de una talla menos?
   • No, ………… necesito de dos tallas más pequeñas.

a. Hablan de una marca de ropa. b. Una persona necesita una talla más. c. Una persona busca algo.
d. A una persona no le gusta el color. e. Una persona quiere cambiar algo.

3 Soluciona: Consigue lo que quieres

a. ▶ Observa la imagen. ¿Qué problemas crees que tiene?

b. ▶ Relaciona cada diálogo con un elemento de la ilustración.

EN LA CAJA

TUS REGALOS

UNA TALLA MÁS

DEVOLVEMOS EL DINERO

1 • Perdone, me quedan pequeños.
   • ¿Necesita otra talla?
   • Sí, por favor: una 44.

2 • Me llevo este pañuelo.
   • ¿Es para regalo?
   • Sí, por favor.

3 • Me lo llevo.
   • Muy bien, pase por caja.
   • ¿Se puede pagar con tarjeta?
   • Sí, sí, en metálico o con tarjeta.

4 • Hola. ¿Necesita ayuda?
   • Quería cambiar este vestido.
   • ¿Por qué?
   • Es que a mi novia le queda muy ancho.
   • ¿Quiere otra talla?
   • No, prefiero el dinero.
   • ¿Tiene el tique?
   • Sí, aquí está.

c. ▶ Pon el título a cada sección del diálogo.
d. ▶ Simula con tu compañero. Eres un cliente y quieres comprar algo.

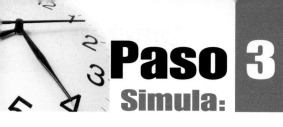

Paso 3
Simula: Haz sugerencias

Conoce los nombres de algunos objetos como regalos

a. ▸ Observa y escucha los diálogos. Señala qué va a comprar e indica a quién se lo va a regalar. ¿Cuánto se gasta en total?

Pista 25

Para los padres:
- Para papá...
- Para mamá...

Para los hermanos:
- Para Rafa...
- Para Alberto...

Para los suegros:
- Para mi suegro…
- Para mi suegra…

Anillo de plata	34,25 €	Guantes de piel	30 €
Bolso de mujer	98 €	Pañuelo de seda	165 €
Cinturón de cuero	45 €	Pendientes de oro	175 €
Collar de perlas	93 €	Pulsera de plata	69,90 €
Corbata de seda	38,95 €	Reloj juvenil	45 €
Gafas de sol	83 €	Bufanda de lana	33,35 €
Gorro de lana	20,15 €		

Atención

En el mundo hispano, tradicionalmente el 6 de enero se celebran los Reyes Magos y se hacen los regalos navideños.

b. ▸ Y tú, ¿haces regalos? ¿Cuándo? Decide con tu compañero a quién de la clase regalas los objetos del escaparate. Di el motivo.

> Las gafas de sol para John, que le gusta mucho ir a la playa.

> No, mejor para Claudia, que tiene los ojos claros.

68 sesenta y ocho

Sabe estar en cada situación social

a. ▸ **Habla de tus hábitos y de cómo vas vestido en estas situaciones.**

- A una fiesta entre amigos.
- En la cena de Nochebuena con tu familia.
- A una celebración social (boda…).

- A trabajar.
- Al médico.

Pues yo, para trabajar, me pongo ropa cómoda.

¿Sí? Yo no, yo voy muy formal. Es que trabajo en un banco.

PARA DESCRIBIR

Ropa cómoda
Ropa elegante
Ropa formal
Ropa deportiva
Zapatos altos
Zapatos bajos
Calzado cómodo

b. ▸ **Lee y relaciona los textos con las imágenes.**

COLORES

blanco
amarillo
naranja
rosa
rojo
azul
violeta
verde
marrón
gris
negro

1. Elegante camisa de algodón verde. Para ir bien vestido en situaciones informales.
2. Vestido de lino azul para mujeres sin complejos.
3. Oferta. Pantalones de algodón en todos los colores y tallas. Últimos días.
4. ¡Ya estamos preparando la llegada del invierno! ¿Y tú? Bufanda de lana. Disponible de rayas.

c. ▸ **Describe una prenda sin decir el nombre. Escucha a tu compañero e identifica qué describe.**

Simula: Haz sugerencias

▸ **Elige una situación y recomienda el vestuario que debe llevar un amigo en ese caso.**

Para ir a una entrevista de trabajo	Para ir a la primera cita con una persona	Para ir a la inauguración del bar de copas de un amigo
• ¿Qué me pongo para la entrevista? • Pues debes llevar...	• ¿Qué me pongo para salir con Carlos? • Uhmmm... ¿por qué no te pones...?/ ¿Y si te pones...?	• No sé cómo vestirme para la inauguración. • Puedes ponerte...

Paso 4 Haz las maletas
Repasa y actúa:

a. ▶ **Completa con el nombre de la estación.**

1. En .... los árboles se quedan sin hojas y es típico comer castañas.
2. En .... solemos ir a la playa y nos encanta tomar un helado para refrescarnos.
3. A mi hermana le gusta mucho hacer muñecos de nieve en ....
4. Después del .... comienza la .... y llega el buen tiempo. Los árboles florecen y comienza a hacer más calor.

b. ▶ **¿Qué tiempo hace en cada una de estas imágenes? Formula frases e indica la temperatura.**

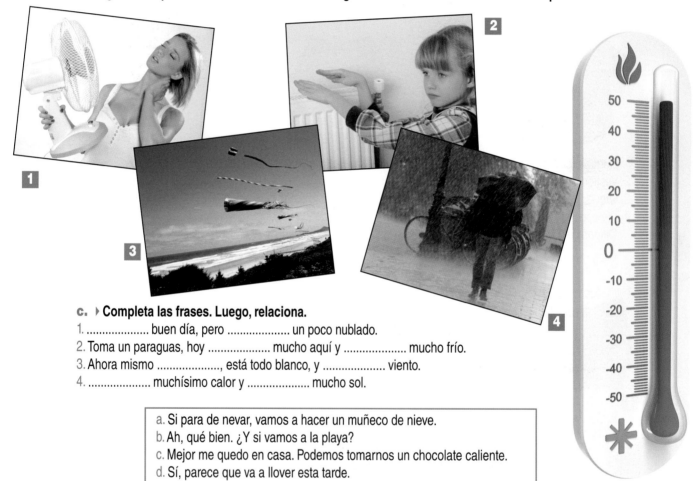

c. ▶ **Completa las frases. Luego, relaciona.**

1. .... buen día, pero .... un poco nublado.
2. Toma un paraguas, hoy .... mucho aquí y .... mucho frío.
3. Ahora mismo ...., está todo blanco, y .... viento.
4. .... muchísimo calor y .... mucho sol.

a. Si para de nevar, vamos a hacer un muñeco de nieve.
b. Ah, qué bien. ¿Y si vamos a la playa?
c. Mejor me quedo en casa. Podemos tomarnos un chocolate caliente.
d. Sí, parece que va a llover esta tarde.

d. ▶ **¿Quién habla? Escucha a estas personas y numera las fotos.**

Pista 26

a ☐

b ☐

c ☐

Recuerda, amplía y practica la ropa

▸ **Opina cómo le queda la ropa a estas personas.**

	VERBO *QUEDAR*	+ VALORACIÓN
(yo)	me	
(tú, vos)	te	corto - largo
(usted, él, ella)	le	estrecho - ancho
(nosotros, nosotras)	nos	queda(n) bien - mal
(vosotros, vosotras)	os	grande - pequeño
(ustedes, ellos, ellas)	les	

1

2

3

4

Recuerda y practica la diferencia entre «muy» y «mucho»

▸ **Marca la opción correcta.**

1. Necesitamos practicar mucho/muy para mejorar nuestro español.
2. Este restaurante es mucho/muy caro. No voy a volver nunca.
3. Creo que beben mucho/muy café.
4. No me gusta esta comida, es mucho/muy picante.
5. No podemos ir porque llueve mucho/muy.

Recuerda y practica los pronombres de objeto

▸ **Contesta a las preguntas como en el ejemplo.**

- ¿Conoces a Esperanza?
- Tus gafas están en el coche, ¿.............. necesitas?
- ¿Dónde está mi libro?
- ¿Tienes unas tijeras?

- Sí, ...*la*......... conozco.
- No, ahora no, pero .... recojo luego.
- Perdón, ... tengo yo.
- Sí, creo que .... tengo en el cajón.

Recuerda expresiones para manejarte en una tienda

▸ **Encuentra el intruso.**

1. con tarjeta - en metálico - caja - con cheque
2. azul - rojo - cuadros - gris
3. cinturón - corbata - bolso - botas
4. sandalias - zapatos - botas - collar

Acción

Prepara las maletas para irte de vacaciones

Lee estas tres ofertas de una agencia de viajes, elige una y prepara las maletas. Sigue estos pasos.

1. Lee los textos.
2. Elige una opción.
3. Fíjate en el tiempo.
4. Prepara la lista de la ropa que vas a llevar.

ALIANZA TOUR

CHILE GLACIAR

Visita el glaciar más grande de América del Sur, el glaciar Pío XI. Rutas por mar y por aire opcionales para disfrutar de unas inolvidables vistas.
Temperatura media: 0 °C.
Nieve frecuente.

CAMINO DE SANTIAGO

Naturaleza, arte y tradición en la ruta más famosa del mundo. Recorre el norte de España a pie, en bicicleta o a caballo y termina la experiencia con un fin de semana en Santiago disfrutando de su historia y su gastronomía.
Temperatura media: 12 °C.
Lluvia constante.

PUNTA CANA

5 ESTRELLAS
Disfruta de 7 días de descanso en las maravillosas playas dominicanas de Punta Cana con alojamiento en hotel de 5 estrellas con todo incluido.
Temperatura media: 32 °C.
Sol y humedad.

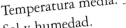

72 setenta y dos

Módulo 7

Visita un nuevo lugar

En este módulo vamos a...

hacer recomendaciones a los visitantes de nuestra ciudad para disfrutar de su estancia.

Pasos

Paso 1: Simula, selecciona y reserva tu alojamiento.
Paso 2: Soluciona tus problemas y pide lo que necesitas en un hotel.
Paso 3: Prepárate e informa de tus costumbres con los regalos y recuerdos.
Paso 4: Repasa y actúa, y ayuda a los visitantes de tu ciudad.

Paso 1 Reserva
Simula: un alojamiento

a. ▸ **Lee el texto. Luego, di qué características asocias con cada tipo de alojamiento.**

- **Hoteles:** De cinco, cuatro o tres estrellas, hay un baño privado en cada habitación y dan otros servicios.
- **Hostales y pensiones:** De menor calidad y precio, pueden tener un baño compartido.
- **Apartahoteles:** Apartamentos dentro de hoteles donde se puede cocinar.
- **Moteles:** Se encuentran en las proximidades de carreteras y áreas de servicio. Son hoteles de paso.

☐ Barato ☐ Caro ☐ Céntrico ☐ Cómodo ☐ Baño compartido ☐ De lujo ☐ Económico

☐ Familiar ☐ Funcional ☐ Modesto ☐ Popular ☐ Vistas panorámicas

b. ▸ **¿En cuál de los alojamientos anteriores puedes encontrar los siguientes servicios?**

	H	P	AT	M	
Cambio de divisa	☐	☐	☐	☐	
	☐	☐	☐	☐	Minibar en la habitación
Bar y restaurante	☐	☐	☐	☐	
	☐	☐	☐	☐	Piscina, gimnasio y spa
Caja de seguridad	☐	☐	☐	☐	
	☐	☐	☐	☐	Servicio de habitaciones 24 horas
Información turística	☐	☐	☐	☐	
	☐	☐	☐	☐	Acceso Wi-Fi en habitaciones

c. ▸ **Lee lo que dicen estas personas, decide cuál es el alojamiento adecuado de cada uno.**

A ver si consigo viajar con mis amigos a la capital. Queremos ver los museos y los monumentos. Somos estudiantes y no tenemos mucho dinero.

Mi mujer y yo conocemos un lugar donde pasar un fin de semana romántico solos si no tienes problemas de dinero.

Tengo un par de semanas de trabajo en los pueblos de alrededor de esta ciudad. Conduzco un coche de alquiler.

Huyo de la ciudad con la familia a la playa tres días, a desconectar, a jugar con los niños y a disfrutar del buen tiempo.

2 Repasa y amplía los verbos irregulares

a. ▸ **Localiza formas de estos verbos en los textos anteriores y completa la tabla de verbos irregulares.**

	VERBOS C>ZC		VERBOS GU>G	VERBOS I>Y
	CONOCER	CONDUCIR	CONSEGUIR	HUIR
(yo)				
(tú)	conoces		consigues	huyes
(vos)	conocés	conducís	conseguís	huis
(usted, él, ella)	conoce	conduce		
(nosotros, nosotras)				huimos
(vosotros, vosotras)			conseguís	
(ustedes, ellos, ellas)		conducen		huyen

b. ▸ **Completa estos diálogos.**

1. ● La verdad, lo (reconocer) ...., estoy cansado. Este fin de semana me voy a ver el mar y a relajarme.
   ■ Pues yo (conocer) .... un hotelito familiar muy acogedor en la costa.
   ● Te lo (agradecer) ...., pero ya tengo uno reservado, gracias.
2. ■ En la sierra (construir) .... unos apartahoteles donde pasar unas semanitas de lo más atractivos.
   ● Ah, ¿sí? ¿Y cuándo los terminan?
   ■ Lo (desconocer) ...., pero me informo y te lo digo.
   ● Es que yo, cuando quiero huir del estrés, me subo al coche, (conducir) .... unos cuantos kilómetros, y me (detener) .... allí donde veo un sitio que es bonito.

3 Simula: Elige el alojamiento y haz la reserva

a. ▸ **Piensa en tu situación actual o en una imaginaria y pon los datos en este buscador.**

Hoteles | Esquí | Costas | Encanto | Relax | Niños

Zona: Selecciona una zona
Destino: Cualquiera
Fecha entrada:
Fecha salida:
Número de habitaciones: 1 habitación
hab.: 1
Adultos: 2
Niños: 0

Buscar

b. ▸ **Marca tus opciones.**

Reserva automática

1. Datos de la Reserva

Entrada: Nº Noches:

Tipo de alojamiento	Ocupación	
Hab. Individual	Adultos	*Niños:
Apartamento (1/2 personas)	Adultos	*Niños:
Hab. Doble	Adultos	*Niños:
Apartamento (3 personas)	Adultos	*Niños:
Habitacion triple	Adultos	*Niños:
Apartamento (4 personas)	Adultos	*Niños:

Otros Servicios

- Desayuno
- Seguro de anulación (4,95 € /persona) (ver condiciones)

c. ▸ **Simula con tu compañero una conversación para reservar el alojamiento que quieres.**

Aprende a decir dónde están las cosas

a. ▸ Observa esta habitación y relaciona el nombre de los muebles y objetos con su número correspondiente.

- ☐ el armario
- ☐ el baño
- ☐ la cama
- ☐ el cuadro
- ☐ la ducha
- ☐ el espejo
- ☐ la lámpara
- ☐ la manta
- ☐ la mesa
- ☐ la percha
- ☐ la silla
- ☐ el televisor
- ☐ las toallas

b. ▸ Observa y completa las frases según la imagen.

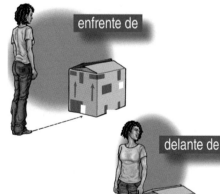

dentro de

encima de

enfrente de

detrás de

delante de

fuera de

al lado de

1. El libro está .... la mesa.
2. El mando a distancia está .... la tele.
3. La silla está .... la mesa.
4. Cristina está .... el espejo.
5. El abrigo está .... el armario.

c. ▸ Escucha a la cliente de este hotel hablando con la recepción y marca qué objetos nombra.

Pista 27

2

Consigue la información que necesitas

▸ Cuando llegamos a un hotel y a una ciudad que no conocemos necesitamos saber muchas cosas. Relaciona las situaciones con las preguntas adecuadas para conseguir toda la información necesaria.

1 Quieres visitar los lugares de interés que hay en la ciudad.

2 Necesitas información sobre el desayuno en el hotel.

3 No conoces nada de los medios de transporte de la ciudad.

4 Mañana llega un amigo a la ciudad y no tiene hotel.

5 Tienes hambre, pero no quieres bajar al restaurante.

a ¿A qué hora es el desayuno?

b ¿Puede llamar un taxi para mañana a las doce?

c ¿Pueden subir algo de cenar a la habitación?

d ¿Tienen habitaciones individuales libres?

h ¿Dónde se sirve el desayuno?

e ¿Hay un autobús desde aquí al aeropuerto?

i ¿Cuánto cuesta un taxi de aquí al aeropuerto?

f ¿Se puede meter una cama supletoria en nuestra habitación?

¿Hay una estación de metro cerca del hotel?

g ¿Tiene un plano con información de museos o monumentos?

k ¿Hasta qué hora funciona el servicio de habitaciones?

3

Soluciona: Pide lo que necesitas en un hotel

a. ▸ Ahora, escribe la pregunta adecuada a cada situación para conseguir lo que necesitas.

⇨ Quieres saber el precio de un taxi del hotel al aeropuerto.

⇨ No tienes despertador y necesitas despertarte mañana a las 6:30.

⇨ En tu habitación no hay mantas.

⇨ Necesitas Internet para trabajar y quieres conectarte a la red Wi-Fi del hotel.

b. ▸ Con tu compañero, elige una de las situaciones anteriores y simula la conversación en la recepción del hotel.

Paso 3 Informa: Tus costumbres con los regalos

Aprende a describir los recuerdos típicos de cada lugar

a. ▸ ¿Con qué países identificas estos recuerdos de viajes por el mundo?

Los palillos

El chocolate

El sombrero

Las muñecas

El abanico

El queso

b. ▸ **Fíjate ahora cómo explican qué es cada cosa y comprueba tu respuesta. Falta un recuerdo por describir. Hazlo tú.**

● Estas muñecas son de Rusia. Se llaman *matriuskas* y son unas muñecas huecas que tienen dentro otra muñeca más pequeña y dentro de esta hay otra... Tienen muchos colores y es el recuerdo ruso más típico.

● El charro es un vaquero mexicano que vive y trabaja en el campo. Allí hace mucho calor y el sol es muy fuerte, por eso, el charro lleva este sombrero que da mucha sombra y protege del sol.

● Conozco varios países de Asia donde comen con estos palillos. Al principio, es un poco difícil, pero solo necesitamos práctica. Estos palillos son de Japón.

● Este es el abanico que usan las mujeres españolas cuando hace calor. Muchas mujeres tienen varios abanicos que combinan con la ropa.

● Bélgica es un país donde venden el mejor chocolate del mundo. ¿Queréis probarlo?

c. ▸ **¿Cuál es el recuerdo típico de tu ciudad? ¿Y de tu país? Descríbelo.**

> **ORACIONES RELATIVAS**
>
> Cuando necesitamos dar características de algo o alguien, usamos esta estructura:
> una persona o cosa + **que** + verbo
> un lugar + **donde** + verbo
> *La chaqueta que lleva Enrique es de mi hermano.*
> *El supermercado donde compramos es el más barato del barrio.*

2

Conoce los nombres de los objetos

Pista 28

▸ **Escucha las costumbres de estas personas e indica los objetos de los que hablan y para quién son.**

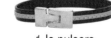
1. la pulsera

2. el marcapáginas

3. el bolígrafo

4. la camiseta

5. el dedal

7. la taza

6. la figurita

8. el mechero

La tía de Teresa  Teresa Dani  Una amiga de Dani  El profesor de Dani

3 Fíjate en los posesivos

▸ Observa el cuadro y completa.

	Singular		Plural	
	Masculino	Femenino	Masculino	Femenino
de mí	mío	mía	míos	mías
de ti, vos	tuyo	tuya	tuyos	tuyas
de él, ella, usted	suyo	suya	suyos	suyas
de nosotros/as	nuestro	nuestra	nuestros	nuestras
de vosotros/as	vuestro	vuestra	vuestros	vuestras
de ellos/as, ustedes	suyo	suya	suyos	suyas

● Mónica, ¿esta es tu camiseta?

■ Sí, es la .... (de mí). ¿Dónde está la

.... (de ti)?

● No sé, no la veo.

● ¿Tenéis las entradas para la exposición?

■ Tenemos las .... (de nosotros), pero

no las .... (de vosotros).

● ¿No?

● A ver, ¿de quién son estos marcapáginas?

■ Son .... (de mí).

● Y esta camiseta es de Tania, ¿verdad?

■ Sí, es .... (de ella) y el abanico también es

.... (de ella).

● ¿Cuál es tu ciudad favorita?

■ Uhmmm… difícil pregunta… quizá Buenos Aires.

¿Y la ....?

● La .... es San Sebastián.

■ Sí, es preciosa, la conozco también.

---

4 Informa y describe tus costumbres

a. ▸ Y tú, ¿qué compras en tus viajes? ¿Coleccionas recuerdos? Describe tus objetos.

b. ▸ Responde a las preguntas.

1 Cuando haces un viaje, ¿compras algunos recuerdos?, ¿a quién?

2 ¿Dónde prefieres comprarlos: en un mercadillo popular, en una tienda oficial de turismo, en la tienda del hotel, en cualquier lugar, en el *duty free* del aeropuerto? ¿Por qué?

3 ¿Qué tipo de objeto prefieres comprar: artesanía, algo de comer, algo práctico, una antigüedad? ¿Por qué?

Paso 4

Repasa y actúa: Recomienda

1 Repasa y amplía la ubicación

a. ▸ Completa con la expresión de lugar adecuada.

El dinero está ...dentro... de la cartera.

La cartera está .... del móvil y las llaves están .... de la cartera.

Las gafas de mi abuelo están .... de su periódico.

Los bollos están .... de los papeles y el libro está .... de la taza y las gafas.

El jabón está a .... de las toallas.

El cepillo está .... del espejo y .... del secador.

b. ▸ Observa y completa.

1. Málaga está ....
   .... de España.
2. Francia está ....
   de España.
3. Valencia está ....
   .... de España.
4. Alicante está ....
   .... de Valencia.
5. Bilbao está ....
   .... de España.

Ubicación geográfica
–dentro de un lugar
en el centro
en el norte, en el sur
en el este, en el oeste
–fuera, en relación
a un lugar
al norte, al sur, al este,
al oeste

2 Repasa el presente irregular

▸ Completa.

1. ¿(Conocer, tú) .... un buen restaurante cerca de aquí? Sí, claro, (conocer, yo) .... un restaurante mexicano buenísimo.

2. El precio (incluir) .... dos noches y desayuno y, además, una excursión opcional.

3. Ya son las 9:30 y la tienda (seguir) .... cerrada. Es muy extraño, ¿verdad?

4. Si queréis, yo (traducir) .... este cartel y así podéis entenderlo.

5. ¿Tienes una moto? Yo también, (conducir) .... una moto grande.

Repasa las oraciones relativas

▸ **Completa con** *que* **o** *donde*.

1. Ese es el hotel .... trabaja mi hermana Carmen.

2. La tienda .... está cerca de mi trabajo se llama «La Mar».

3. El perfume .... usa mi profesor huele muy bien.

4. El cajón .... guardo mis cosas está roto.

5. La universidad .... estudian mis hijos tiene 25000 alumnos.

6. La universidad .... tiene más prestigio es esta.

Repasa los pronombres posesivos

▸ **Completa.**

1. ● Este es nuestro hotel, ¿dónde está ....?

   ● El nuestro está en esa calle.

2. ● Mi hijo llega de la escuela muy cansado todos los días, ¿y ....?

   ● Mi hija también, ahora tienen muchos exámenes.

3. ● Mis nuevos compañeros son muy simpáticos, ¿y ....?

   ● Los míos también, estoy muy contento.

4. ● Las bolsas de Miriam están aquí, ¿y ....?

   ● Las .... están aquí y las de mi madre no lo sé.

Repasa, amplía y compra un recuerdo

▸ **Con tu compañero, elige una situación y representa la escena.**

Estás en Buenos Aires y quieres llevar un recuerdo a tu sobrino de 9 años	Estás en Pekín y quieres llevar un recuerdo a tus compañeros de trabajo	Estás en París y quieres llevar un recuerdo a tu pareja

Cliente	Dependiente
Saludar	
	Responder y prestarle ayuda
Preguntar qué es típico del lugar	
	Dar información
Explicar para quién es el regalo que busca	
	Concretar las posibilidades
Elegir un regalo y preguntar por tallas, colores, tamaños, precios… si es necesario	
	Responder a todo
Tomar una decisión y pagar. Despedirse	
	Cobrar. Dar las gracias. Despedirse

Acción

¿Es tu ciudad muy turística? Ayuda a las personas que la van a visitar por primera vez. Completa esta ficha y exponla a tus compañeros.

HOTELES

APARTAMENTOS

PENSIONES

MUSEOS

ESTADIO

BIBLIOTECA

CENTRO

MI CIUDAD ....

UBICACIÓN GEOGRÁFICA ....

ALOJAMIENTO RECOMENDADO ....

EL MEJOR MES PARA VISITARLA ....

QUÉ Y DÓNDE COMER ....

QUÉ COMPRAR ....

DÓNDE IR DE FIESTA ....

Módul

8

Haz planes y organízate

En este módulo vamos a...
organizar un viaje.

Pasos

Paso 1: Prepárate e informa de tus mejores lugares de vacaciones.
Paso 2: Simula y compara varias opciones de viajes.
Paso 3: Soluciona tus problemas y negocia tus planes.
Paso 4: Repasa y actúa, elabora el plan de viaje.

Ciudad de Buenos Aires, **Argentina**

Desierto de Atacama, **Chile**

Playa Punta del Este, **Uruguay**

Sevilla **España**

Ruinas incas de Machu Picchu, **Perú**

Ruinas mayas de Tulum, **México**

Cataratas Salto Ángel, **Venezuela**

Paso **1** Informa: Tus preferencias de vacaciones

Aprende a describir tus preferencias

a. ▶ Marca tus preferencias cuando eliges un viaje.

1. ¿Qué tipo de viaje prefieres? ☐ De aventura. ☐ De playa y descanso. ☐ De montaña y naturaleza.
☐ Otro: ....

2. ¿Con quién prefieres viajar? ☐ Solo. ☐ Solo con tu pareja. ☐ Con tu familia. ☐ Con amigos.
☐ Cuantos más, mejor.

3. ¿Qué buscas en tus viajes? ☐ Descansar y relajarte. ☐ Conocer nuevos lugares y aprender.
☐ La aventura y vivir nuevas experiencias. ☐ Pasarlo bien y disfrutar.
☐ Estar con tu gente.

4. ¿Cómo prefieres viajar? ☐ En viajes organizados. ☐ Sin planes previos.

b. ▶ ¿Cuál o cuáles de las imágenes responden mejor a tu idea de viaje perfecto?

LA MALETA

LA MOCHILA

LAS BOTAS

LAS ZAPATILLAS

LAS CHANCLAS

EL APARTAMENTO

EL HOTEL

EL CASCO

LA TIENDA DE CAMPAÑA

c. ▶ ¿Con quién estás más de acuerdo?

¿Qué te parece si este año nos vamos de vacaciones a la playa con mis padres?

Mira, es que no tenemos mucho dinero y mis padres nos invitan a su casa. Además, quiero descansar.

Pues no me apetece nada. Ya sabes que la playa no me gusta. Mejor nos vamos a hacer senderismo por las montañas, ¿no?

Estoy de acuerdo con .... porque ....

No estoy de acuerdo con .... porque ....

2 Aprende a hablar del pasado

Pista 29

▸ **Escucha el diálogo y contesta a las preguntas.**

1. ¿De qué ciudad hablan?
2. ¿Cuándo la va a visitar?
3. ¿Qué le recomienda de la ciudad?

PRETÉRITO PERFECTO COMPUESTO		
	HABER	+ participio
(yo)	he	estado bebido vivido
(tú, vos)	has	
(usted, él, ella)	ha	
(nosotros, nosotras)	hemos	
(vosotros, vosotras)	habéis	
(ustedes, ellos, ellas)	han	

3 Conoce los participios irregulares

a. ▸ **Relaciona.**

1. Abrir
2. Decir
3. Escribir
4. Freír
5. Hacer
6. Morir
7. Poner
8. Romper
9. Ver
10. Volver

a. Roto
b. Vuelto
c. Abierto
d. Puesto
e. Escrito
f. Muerto
g. Visto
h. Frito
i. Dicho
j. Hecho

b. ▸ **Completa el texto.**

Hoy (hacer, nosotros) .... una excursión a Granada, ciudad Patrimonio de la Humanidad. (Ver) .... la Alhambra, uno de los monumentos más bonitos de España. A mi hermana Marta le (encantar) .... y a mí también. Después (ir, nosotros) .... a comer. Marta (probar) .... el famoso gazpacho andaluz y yo (comer) .... pescado. Por último, (visitar, nosotros) .... la casa de Federico García Lorca, un famoso escritor español del siglo xx, y (ser) .... impresionante. Yo (hacer) .... muchas fotos.

4 Aprende la diferencia entre *ya* y *todavía no*

Pista 30

a. ▸ **Escucha y marca las cosas que ha hecho. Después, explica las actividades de Paula.**

☐ Llamar al banco
☐ Pedir cita para el médico
☐ Recoger a los niños del colegio
☐ Cambiar billetes para Barcelona
☐ Comprar regalo (cumpleaños Marta)
☐ Preparar sándwiches excursión niños
☐ Enviar e-mail a los abuelos

> Ya + acción realizada.
> *Ya he visto la película.*
> Todavía no + acción no realizada.
> *Todavía no hemos estado en Sevilla.*

b. ▸ **Piensa en cinco cosas que ya has hecho y en cinco que quieres hacer. Después, busca coincidencias con tus compañeros.**

> Ya ha cambiado los billetes a Barcelona, pero todavía no...

> ¿Ya has estado en Argentina?

> No, todavía no. Pero ya he estado en México.

> Yo también.

5 Informa: Tus preferencias de vacaciones

a. ▸ **Piensa en los mejores lugares en los que has estado. Anota dos o tres informaciones sobre cada uno.**

b. ▸ **Recomienda a tu compañero esos lugares y explícale los motivos.**

Paso 2 Varias opciones de viaje
Simula:

1 Aprende a comparar

> Yo creo que en Málaga viven más personas que en Sevilla, ¿no?

> Yo creo que no.

a. ▸ **¿Crees que son verdaderas estas afirmaciones sobre estos lugares de España y de América Latina? Compara tus respuestas con las de tu compañero.**

1. Sevilla está más poblada que Málaga.
2. Las islas Canarias son tan turísticas como las islas Baleares.
3. En Argentina la carne se come menos que en Centroamérica.
4. En el Mediterráneo hay más huracanes que en el Caribe.
5. El aeropuerto de Palma de Mallorca recibe menos viajeros que el aeropuerto de Barcelona.
6. Los españoles viajan más a América Latina que a otros países de Europa.

b. ▸ **Completa el esquema con ejemplos de las frases anteriores.**

COMPARACIONES		
Comparaciones de igualdad	**Tan** + adjetivo/adverbio (característica) + **como**	
	Verbo (acción) + **tanto como**	*En Galicia llueve **tanto como** en Asturias.*
	Tanto/a/os/as + sustantivo (objeto o persona) + **como**	*En verano hay **tantos** turistas en la República Dominicana **como** en Cuba.*
Comparaciones de inferioridad	**Menos** + adjetivo/adverbio (característica) + **que**	
	Verbo (acción) + **menos que**	
	Menos + sustantivo (objeto o persona) + **que**	*En Toledo hay **menos** museos **que** en Madrid.*
Comparaciones de superioridad	**Más** + adjetivo/adverbio (característica) + **que**	
	Verbo (acción) + **más que**	
	Más + sustantivo (objeto o persona) + **que**	

c. ▸ **Lee los fragmentos de estas guías turísticas y completa el diálogo entre estas personas que intentan decidir dónde ir en vacaciones.**

CANCÚN

La ciudad más turística de América Latina espera al visitante con casi 30 kilómetros de playas, temperatura media de 20 °C todo el año y descanso bajo el sol.

SÃO PAULO

La ciudad que nunca duerme. Temperatura media en enero: 30 °C; temperatura media en agosto: 18 °C. Gran oferta de fiestas, actividades culturales y gastronomía.

PRAGA

La capital de la República Checa es conocida como *la ciudad de las mil torres*. No tiene muchos museos, pero pasear por sus calles es una experiencia inolvidable.

LONDRES

La ciudad más visitada del mundo ofrece mucho sobre todos los temas. También son muy famosos sus mercados y la vida nocturna de la ciudad.

- ● ¿Dónde vamos en verano de vacaciones? ¿Vamos a Cancún a la playa?
- ■ A mí no me gusta la playa. Si vamos a América Latina, es mejor São Paulo porque hace .... calor .... en México en agosto y hay .... oferta cultural .... en Cancún.

- ● Bueno, si te interesa la cultura podemos ir a Londres. Allí hay .... museos .... en São Paulo.
- ■ O Praga, que es tan interesante .... Londres y es .... turística .... São Paulo y Londres, ¿no?

- ● Sí, pero en verano Praga puede tener .... turistas como Londres… la ciudad está de moda.
- ■ No sé, no sé…

Fíjate en las comparaciones

Pista 31

▸ **Escucha a estas dos personas hablando de sus ciudades y marca con una X dónde es mayor la característica meteorológica.**

En la ciudad de Ricardo			En la ciudad de Julieta
		Lluvia	
		Nieve	
		Viento	
		Niebla	
		Calor	
		Frío	

Simula: Compara varias opciones de viajes

a. ▸ **Elige una de las siguientes situaciones. Según tu opinión, ¿cuál de los cuatro destinos de la actividad 1.c es mejor?**

> Eres un comercial. Tu empresa se dedica a la energía solar.

> Quieres hacer un viaje de fin de curso con tus compañeros de clase de español.

> Te vas a casar y quieres un viaje de novios inolvidable.

> Organizas tus vacaciones de verano.

b. ▸ **Ahora escribe un *e-mail* y explica qué lugar crees que es el mejor y por qué.**

Paso 3 Negocia
Soluciona: tus planes

 Aprende a expresar planes

a. ▸ Observa a estas personas. ¿Qué van a hacer? Formula frases.

> **IR A + INFINITIVO**
> Usamos *ir a* + infinitivo para hablar de:
>
> –Planes de futuro. *En verano* **vamos a recorrer** *España en moto.*
> –Intención en el futuro. *Mis padres* **van a comprar** *una casa nueva.*
> –Acciones que van a ocurrir cerca del momento actual. *Un momento, **voy a hacer** una fotocopia.*

b. ▸ En parejas, escribe tus planes…

- para después de clase ....
- para mañana ....
- para el fin de semana ....
- para la próxima semana ....

c. ▸ Escucha esta conversación sobre un viaje y marca las palabras que oyes.

Pista 32

☐ ruta ☐ plano ☐ mapa ☐ pasaporte ☐ visado ☐ reserva ☐ sol ☐ recorrer ☐ turismo ☐ aventura
☐ postales ☐ fotos ☐ alquilar ☐ comprar ☐ mar

d. ▸ Escucha otra vez a esta pareja hablando de su viaje por la Riviera Maya y contesta a las preguntas.

Pista 32

a. ¿Qué lugares van a visitar?

b. ¿Puedes dibujar en el mapa el itinerario que van a hacer Cristina y Miguel?

c. ¿Qué isla van a visitar?

d. ¿Dónde se van a bañar?

e. ▸ ¿Cuáles son las opciones correctas?

a. Mañana/Este verano <u>se van</u> de vacaciones a México. Ya tienen los billetes y las maletas hechas.

b. Seguramente, <u>van a ir</u> en autobús/taxi al aeropuerto, es más cómodo.

c. El primer día en México pueden ir a la playa o a Chichén Itzá, pero ella <u>quiere hacer</u> turismo/descansar primero.

d. <u>Van a comprarse/alquilar</u> un coche para recorrer la isla de Cozumel.

f. ▸ Observa las expresiones subrayadas. Todas hacen referencia al futuro, pero de diferente forma. Relaciona la estructura con su explicación.

- Presente   Expresa un deseo de futuro
- *Ir a* + infinitivo   Expresa un hecho, un dato futuro
- *Querer* + infinitivo   Expresa la intención de futuro

g. ▸ Haz el plan de tu próximo viaje. ¿Dónde vas a ir? ¿Qué monumentos vas a visitar? ¿Cuándo y cómo vas a viajar?

2 Descubre los intereses turísticos

a. ▸ Lee el texto y señala en el mapa los atractivos turísticos de cada zona.

Descansar en la playa ● Explorar la selva y conocer animales exóticos ● Visitar ruinas y monumentos históricos ● Asistir a fiestas populares ● Disfrutar de actividades culturales ● Ver glaciares

AMÉRICA LATINA, UN DESTINO PARA TODOS LOS GUSTOS

Hay un lugar en América Latina para todos los intereses y para todas las ocasiones, para todos los gustos y para todas las edades.

El Caribe es el destino ideal para los amantes de las vacaciones de sol y playa. Todos conocemos la arena blanca, el mar turquesa y las palmeras de la República Dominicana o de Cuba.

Si buscamos disfrutar de la historia y la cultura, tenemos muchos lugares donde elegir: las ruinas aztecas y mayas de México y Guatemala es una fantástica opción; o ver el monumento más impresionante del mundo inca: Machu Picchu en Perú y recorrer la huella incaica en el resto de Perú, Bolivia y Ecuador; o tal vez visitar las bibliotecas de Buenos Aires o asistir al teatro en Montevideo; ¿queremos vivir fiestas populares como el carnaval?, entonces tenemos que optar por Colombia o Brasil.

Para los aventureros también hay un destino: los paisajes polares del sur de Chile y Argentina, donde disfrutar de las imponentes vistas de los glaciares.

Y si preferimos otro tipo de experiencias en la naturaleza, tenemos las selvas vírgenes de Costa Rica o la exclusiva flora y fauna de las islas Galápagos (Ecuador).

Y podemos continuar con lugares tan particulares como la Casa Azul-Museo Frida Kahlo en Coyoacán (México) o la línea del Ecuador de La Tierra... en definitiva, hay un destino para ti.

b. ▸ ¿Cuál de los destinos de los que habla el texto te interesa más? ¿Por qué?

3 Soluciona tus problemas: Negocia tus planes

▸ Llega a un acuerdo, según uno de los roles, con tu compañero para hacer algo con él mañana.

Negociar	
Proponer	*¿Por qué no...?* *¿Qué te parece si...?*
Ofrecer una alternativa	*Mejor..., ¿no?* *¿Y si...?*
Justificarse	*Mira, es que...*

Alumno A
- ☐ No tienes mucho dinero.
- ☐ Te gusta mucho el deporte.
- ☐ No te apetece ir a un museo.
- ☐ Te encanta bailar.
- ☐ Te encanta tomar café en una terraza.
- ☐ No te gustan los sitios cerrados.
- ☐ Te gusta mucho la informática.
- ☐ No quieres estar solo.

Alumno B
- ☐ Quieres salir fuera de casa.
- ☐ Te encanta ir de compras.
- ☐ No quieres comer nada.
- ☐ No te gustan los sitios con música alta.
- ☐ No te gustan los planes pasivos.
- ☐ Quieres quedar con mucha gente.
- ☐ Te apasiona ir a tiendas pequeñas.
- ☐ Te apetece charlar.

Recuerda y practica el pretérito perfecto compuesto

a. ▸ Lee los titulares de estos periódicos y subraya las expresiones temporales.

EL PAÍS

Medio ambiente

▸ TEMAS RELACIONADOS | Comunidades autónomas | Contaminación radiactiva

Esta semana ha mejorado el tiempo en toda España

Las temperaturas han subido 5 grados de media y han terminado las lluvias en toda la península.

ELMUNDO.es | Líder mundial en español | Jueves 26/01/2012. Actualizado 17:32h. | **Cultura**

Hoy ha empezado la exposición *Picasso y los clásicos* en el Prado

El Museo del Prado ha organizado este año tres actividades relacionadas con el pintor malagueño.

Público.es

Portada Opinión Internacional España Cataluña Dinero Ciencias Culturas Deportes TV y gente Viajes
Videojuegos Audiolibros Cartelera cine Vídeos El detonador Mesa

El Museo de el Prado ha recibido un 10% más de visitantes

Este año, el Prado ha batido su récord de visitantes y las previsiones para el año que viene son muy buenas.

PRETÉRITO PERFECTO COMPUESTO

– Usamos el pretérito perfecto compuesto cuando hablamos de **acciones terminadas en una unidad de tiempo actual:** *hoy, esta semana, este mes, ese año, este curso...*

– También cuando hacemos referencia a **acciones terminadas que han ocurrido, según el hablante, cerca del momento actual:** *hace poco, hace cinco minutos, hace una hora, últimamente...*

– O cuando hablamos de una **acción habitual que normalmente ocurre antes de otra acción:** *Cuando llego a la oficina, mi compañero ya ha llegado y ha preparado café.*

---

b. ▸ Lee de nuevo los titulares anteriores y di si estas afirmaciones son ciertas.

	Verdadero	Falso
Esta semana ha hecho más calor que la semana pasada.		
La exposición *Picasso y los clásicos* dura todo este año.		
El Museo del Prado ha obtenido buenos resultados de visitantes este año.		

c. ▸ Escucha y señala la respuesta adecuada.

Pista 33

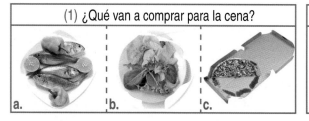

(1) ¿Qué van a comprar para la cena?

a.   b.   c.

(2) ¿Qué película quiere ver Marta?

a.   b.   c.

(3) ¿Qué va a pedir Mónica de postre?

a.   b.   c.

(4) ¿Dónde piensa ir de vacaciones Ana?

a.   b.

Recuerda cómo hacer planes y hablar del futuro

▸ **Completa las frases con las perífrasis** *ir a* + infinitivo, *querer* + infinitivo o *pensar* + infinitivo.

1. Carmen hace la lista de la compra porque... *va a ir al supermercado, va a comprar.*
2. Carlos compra las entradas porque... ....
3. Jorge y Elisa hacen las maletas porque... ....
4. Belén se peina porque... ....
5. Los chicos van a la biblioteca porque... ....
6. Sara se compra un biquini porque... ....

Recuerda y practica las comparaciones

▸ **Compara estos pares.**

Amplía el vocabulario para hablar de las ciudades

a. ▸ **Relaciona cada característica con su opuesta.**

1. moderna   a. sucia
2. bonita   b. aburrida
3. interesante   c. antigua
4. divertida   d. común
5. limpia   e. barata
6. exótica   f. fea
7. cara   g. sosa

b. ▸ **Asigna una o varias características a estas ciudades.**

Buenos Aires — Moscú — Hong Kong — Río de Janeiro — Roma — Berlín — Barcelona — México D. F.

Acción

Lee el texto con los planes de unos amigos para viajar 10 días por España y después prepara con tus compañeros un programa similar para hacer un viaje por tu país o tu región. Tenéis que:

- Decidir la fecha del viaje dependiendo del clima que más os gusta y de las actividades que queréis hacer.
- Elegir el itinerario: adónde vais a llegar, a qué ciudades vais a ir, dónde vais a terminar el recorrido...
- Escoger qué medio de transporte vais a utilizar para cada trayecto.
- Especificar qué vais a comer, qué vais a visitar, qué vais a comprar, etc.

La Sagrada Familia (Barcelona)

Córdoba

San Sebastián

10 DÍAS POR ESPAÑA

En verano -a finales de julio- vamos a hacer un viaje de una semana por España porque tenemos vacaciones y porque el tiempo es muy bueno, no llueve y hace calor.

Vamos a llegar en avión a Madrid y vamos a estar allí dos días para visitar los museos -el Prado, el Reina Sofía y el Thyssen- y para conocer la capital y comer tapas.

Después, vamos a alquilar un coche para ir a Andalucía y conocer, primero, Sevilla (queremos ver la catedral) y, después, las playas de Cádiz y de Málaga. Allí vamos a descansar dos días. Más tarde vamos a ir a Granada para ver la Alhambra. En Andalucía queremos probar el gazpacho y el pescado frito.

Después vamos a coger un avión hasta Barcelona y allí vamos a estar otros dos días para ver los edificios de Gaudí. Desde Barcelona vamos a ir en coche al País Vasco (a Bilbao y San Sebastián) para disfrutar de su famosa gastronomía, sobre todo, los pintxos. Nuestro vuelo de vuelta sale desde Bilbao.

Málaga

Tapas

Plaza de España (Sevilla)

Bilbao

Pescado frito

Madrid

Sevilla

La Alhambra (Granada)

Módulo 9

Cuida tu salud

En este módulo vamos a...

dar consejos para llevar una vida saludable.

Pasos

Paso 1: Prepárate e informa de tu historial médico.
Paso 2: Simula y desenvuélvete en la consulta del médico.
Paso 3: Soluciona tus problemas y prepara el botiquín con lo necesario para diferentes situaciones.
Paso 4: Repasa y actúa, escribe un decálogo con consejos para llevar una vida saludable.

Paso 1 Tu historial médico
Informa:

Descubre las partes del cuerpo

a. ▶ Escribe los nombres de las partes del cuerpo en el lugar correspondiente.

q

a

b

p la oreja

c

o

d el cuello

ñ

e

n el codo

f

k el tobillo

l

m la cadera

j

i la rodilla

h

g

el pecho   la cabeza

la pierna

el dedo

el pie

partes del cuerpo

la mano

el ojo

la nariz

la boca   la espalda   el brazo

el estómago

Pista 34

b. ▶ Escucha y señala en la imagen las partes del cuerpo de las que hablan. Y tú, cuando ves por primera vez a una persona, ¿en qué parte del cuerpo te fijas primero?

Aprende a explicar cómo te sientes

Me duele el estómago y tengo unas manchas rojas en la piel. No sé si es una alergia o si he comido algo en mal estado.

a. ▶ Relaciona las explicaciones con las fotos. Luego, completa la forma del verbo *doler.*

a.

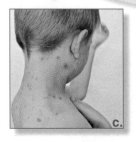
c.

b.

Todos los sábados juego al *rugby* y me duele todo el cuerpo. Pero hoy me duele especialmente el brazo izquierdo... no sé si es problema de músculo o de hueso, pero no puedo moverlo.

Me duelen la cabeza y la garganta, y tengo tos y problemas al respirar...

a mí			
a ti/vos	te		la espalda
a usted/él/ella	le	+	
a nosotros/as			
a vosotros/as	os	duelen	los pies
a ustedes/ellos/as	les		

b. ▶ Indica qué les duele a estas personas.

 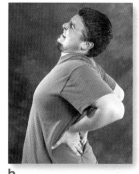  

a.　　　　b.　　　　c.　　　　d.

Aprende a dar consejos y remedios

a. ▶ Relaciona los estados con los consejos. Luego, compara tus resultados con los de tu compañero. ¿Son los mismos? Da más consejos.

1. Para no estar estresado
2. Si tienes alergia
3. Para no estar estreñido
4. Si tienes diarrea
5. Ante un constipado o resfriado

a. Hay que comer fruta y cereales.
b. Debes tomar té con miel.
c. Debes relajarte y hacer ejercicio.
d. Tienes que tener cuidado con tus comidas.
e. Tienes que tomar zumo de limón.

b. ▶ Completa los consejos que un doctor da a sus pacientes.

1. ● Doctor, quiero adelgazar un poco.
   ■ Bueno, ... comer con más orden y .... que andar una hora al día.

2. ● Tengo problemas para respirar últimamente.
   ■ Creo que .... dejar de fumar inmediatamente.

3. ● Ahora que empieza el verano, ¿qué recomendaciones me puede dar para los niños?
   ■ Para los niños y para todos. .... que beber mucha agua. Es muy importante.

EXPRESAR CONSEJO Y OBLIGACIÓN		
Obligación personal	Tener que + infinitivo	*Para estar bien,* **tienes que comer** *más sano.*
	Deber + infinitivo	**Debes comer** *más fruta, comes muy poca.*
Obligación general	Hay que + infinitivo	**Hay que cuidarse.**

Informa: Tu historial médico

▶ Completa este cuestionario sobre tu historial médico.

CUESTIONARIO PARA ELABORAR EL
HISTORIAL MÉDICO

OBSERVATORIO DE SALUD

Nombre y apellidos
Sexo
Edad

¿Eres alérgico (a algún medicamento, alimento...)? ¿A qué?

¿Te han operado de algo? ¿De qué?

¿Has tenido alguna fractura de huesos?

¿Tienes problemas musculares normalmente?

¿Hay antecedentes de problemas de corazón en tu familia?

¿Has tenido algún enrojecimiento de la piel en los últimos meses?

¿Sufres dolores en alguna parte de tu cuerpo con frecuencia? ¿Dónde?

① Aprende a explicar enfermedades

a. ▸ Ordena este diálogo entre un médico y un paciente.

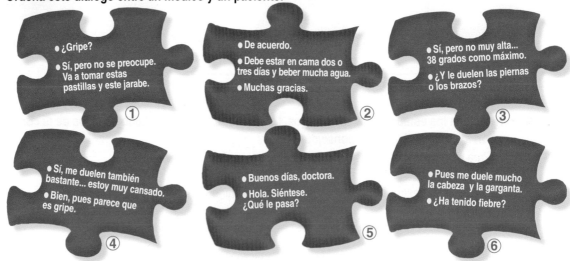

● ¿Gripe?

● Sí, pero no se preocupe. Va a tomar estas pastillas y este jarabe.

①

● De acuerdo.

● Debe estar en cama dos o tres días y beber mucha agua.

● Muchas gracias.

②

● Sí, pero no muy alta... 38 grados como máximo.

● ¿Y le duelen las piernas o los brazos?

③

● Sí, me duelen también bastante... estoy muy cansado.

● Bien, pues parece que es gripe.

④

● Buenos días, doctora.

● Hola. Siéntese. ¿Qué le pasa?

⑤

● Pues me duele mucho la cabeza y la garganta.

● ¿Ha tenido fiebre?

⑥

b. ▸ Busca en el texto las palabras que hacen referencia a estas imágenes.

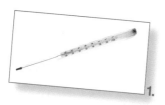
1.

2.

3.

4.

c. ▸ Escucha y contesta a las preguntas.

Pista 35

1. ¿Qué se ha fracturado?

2. ¿Durante cuánto tiempo va a estar de baja?

3. ¿Cuál es la secuencia que le recomienda el médico?
   1. Operación – Rehabilitación
   2. Escayolar – Rehabilitación
   3. Escayolar – Operación

② Aprende el imperativo

a. ▸ Lee estas conversaciones y marca los verbos en imperativo. Luego, completa los cuadros.

1. ● Tienes mala cara.
   ■ Sí, he estado toda la noche estudiando...
   ● Bueno, ahora descansa.
   ■ Sí, voy a dormir un poco...

2. ● Tengo problemas de memoria, señor López. Necesito unas pastillas.
   ■ ¿Pastillas? Mejor escriba las tareas y las reuniones en una agenda, señor García.
   ● ¿Cree que funciona?
   ■ Todo es mejor antes que los medicamentos, ¿no cree?

3. ● Nos vamos de vacaciones a las islas Canarias.
   ■ ¡Qué bien! Cuidado, bebed mucha agua.
   ● Sí, claro, claro... es que hace mucho calor.

IMPERATIVO			
DESCANSAR	BEBER	ESCRIBIR	
	beb**e**	escrib**e**	(tú)
descans**e**	beb**a**		(usted)
descans**ad**		escrib**id**	(vosotros)
descans**en**	beb**an**	escrib**an**	(ustedes)

b. ▸ **Deduce y completa las tablas de verbos irregulares.**

SER	HACER	TENER	PONER	DECIR
sé	haz		pon	di
	haga			
sed				decid
sean			pongan	digan

OÍR	SALIR	IR	DAR	VER
oye	sal	ve		ve
	salga	vaya	dé	vea
			dad	
oigan				vean

c. ▸ **Completa con la forma adecuada del imperativo de los verbos del cuadro.**

poner   hacer   tener   mirar   dar   ir   oír   decir   escribir

1. Señores, ... un paseo después de comer para ayudar a hacer la digestión.

2. Don José, ... ejercicio porque necesita perder unos kilos.

3. .... aquí tus datos personales mientras esperas.

4. .... paciencia. De momento no podemos ver si el bebé es niño o niña.

5. Un momento, señor, ... el brazo hacia arriba un momento.

6. .... usted el sonido de los pulmones al respirar. Eso es una bronquitis.

7. Ahora, ... aquí y .... las letras que puede ver.

8. Bueno, Jaime, ... al especialista esta semana para saber su opinión.

3 Simula: Desenvuélvete en la consulta del médico

▸ **Escenifica con tu compañero esta situación en la consulta del médico.**

MÉDICO	PACIENTE
Saluda y pregunta al paciente.	
	Explica los síntomas.
Pregunta más detalles (desde cuándo, fuma…).	
	Contesta a las preguntas.
Da un diagnóstico.	
	Pregunta la gravedad y pide consejos.
Responde, explica el tratamiento y da consejos.	
	Da las gracias.
Despídete.	

Paso 3
Soluciona: Prepara un botiquín

Entiende la información de un prospecto médico

a. ▸ Lee el texto y responde a las preguntas.

En este prospecto encontrará información acerca de:
1. Qué es Aspirina 500 mg y para qué se utiliza.
2. Antes de tomar Aspirina 500 mg.
3. Posología.
4. Posibles efectos adversos.
5. Intoxicación.

1. Qué es Aspirina 500 mg y para qué se utiliza. Aspirina son comprimidos que se presentan en envases de 20 pastillas. Es un medicamento eficaz para reducir el dolor leve y la fiebre. Se vende sin receta médica.

2. Contraindicaciones. No debe tomar Aspirina si es alérgico a alguno de sus ingredientes, tiene úlcera gástrica, padece asma o bebe alcohol. No tome Aspirina si se encuentra en el tercer mes del embarazo.

3. Posología. Un comprimido cada 6 horas. Los comprimidos deben ser disueltos en un vaso de agua y deben tomarse después de las comidas.

4. Posibles efectos adversos. Molestias gastrointestinales, erupciones en la piel, dificultad respiratoria, vértigos.

5. Intoxicación. En caso de sobredosis, debe consultar inmediatamente a su médico.

1. ¿Cuántos comprimidos puedes tomar al día?
2. ¿Qué tienes que hacer si te equivocas y tomas más pastillas de las indicadas?
3. Si esperas un hijo dentro de 7 meses, ¿puedes tomar este medicamento?
4. ¿Cuándo se deben tomar estos comprimidos?
5. ¿Es un buen medicamento para el dolor de estómago?

b. ▸ ¿Qué palabras nuevas relacionadas con los medicamentos y tratamientos has encontrado en el texto?

Descubre los nombres de los medicamentos

a. ▸ Observa la compra que ha hecho una señora en la farmacia. Relaciona cada producto con su nombre.

 1
 2
 3

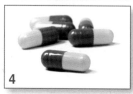 4
 5
 6

 7
 8
 9

Tiritas
Yodo
Antibiótico
Aspirina
Jarabe
Termómetro
Algodón
Alcohol
Pomada

b. ▸ Completa la explicación de la señora sobre su compra con las palabras que faltan.

He tenido un accidente con la bicicleta y tengo una herida en la mano. Voy a limpiar la herida con ....,
.... y ....

Además, estoy un poco resfriada, creo que tengo fiebre y necesito un .... para comprobarlo. También
he comprado un .... para la tos y unas .... porque me duele la cabeza. Creo que es gripe.

Aprende a manejarte en una farmacia

a. ▸ Lee y relaciona los diálogos con las situaciones.

 Pregunta la forma de uso de un medicamento

 Pide consejo al farmacéutico

 Compra con receta

1. ● Hola. Buenos días. El doctor me ha mandado esto.
   ■ ¿A ver la receta?
   ● Aquí tiene.
   ■ ¿Cuánto es?

2. ● Mire, jugando al fútbol esta mañana, me
   han dado un golpe en el tobillo y me duele
   mucho. ¿Qué puedo tomar?
   ■ Primero, es bueno el hielo para bajar
   la inflamación. Y puede tomar esto,
   que es un relajante muscular y, si le duele
   mucho, este analgésico.

3. ● He estado aquí hace un rato y he comprado estos
   sobres para el resfriado.
   ■ Sí, me acuerdo de usted.
   ● Pero he olvidado preguntarle cuántos tengo que tomar.
   ■ Vamos a ver qué dice el prospecto... sí, aquí: tres
   sobres al día, uno por la mañana, uno por la tarde
   y otro por la noche. Y siempre con las comidas. ¿Vale?

**b. ▸ En parejas, uno es el farmacéutico y otro, el cliente. Elegid una de las situaciones y representad
la conversación en la farmacia.**

▸ Crees que estás resfriado.
Explica los síntomas y pide
consejo y remedios.

▸ Has tenido un accidente
doméstico, explica lo que ha pasado
y pide consejo y remedios.

▸ Un amigo o familiar tiene un problema
muscular después de practicar algún
deporte. Explica la situación y pide consejo
y remedios.

Soluciona: Prepara el botiquín

▸ **Elige una de las situaciones, selecciona los medicamentos que necesitas para preparar el botiquín y explica
por qué y para qué los eliges.**

Hay que renovar el botiquín de primeros auxilios del lugar donde trabajas.	Acompañas a un grupo de niños a un campamento de verano junto a la playa.	Necesitas un botiquín para llevar en el coche.

Paso 4 Una vida saludable
Repasa y actúa:

1 Recuerda y amplía el vocabulario del cuerpo humano

a. ▸ Los cinco sentidos. Relaciona las imágenes, los cinco sentidos y las partes del cuerpo.

Ojos
Manos, piel
Nariz
Boca, lengua
Orejas

 a.   b.    c.    d.    e.

el tacto
la vista
el gusto
el olfato
el oído

b. ▸ Escribe el nombre de las partes del cuerpo señaladas.

1.
2.
3.
4.
5.
6.
7.
8.
9.
10.

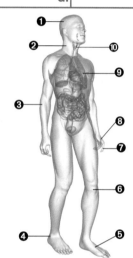

2 Cómo expresar los dolores y desenvolverte en el médico

a. ▸ Completa con la forma adecuada del verbo *doler*.

1. Tengo una herida en la mano y .... mucho.

2. Mi mamá tiene fiebre y .... la garganta.

3. Hemos caminado mucho esta tarde, ... los pies.

4. He dormido muy mal. La cama era muy incómoda y .... la espalda.

5. ¿Estás mejor? ¿..................................... el cuello hoy?

b. ▸ ¿Qué hacemos? Relaciona estas situaciones con sus posibles soluciones.

1. Necesito una medicina   a. Pido cita en el fisioterapeuta
2. Me duele la garganta   b. Tomo un jarabe
3. Me duele la cabeza   c. Me echo unas gotas
4. Tengo problemas en la espalda   d. Voy a la farmacia
5. Tengo los ojos rojos   e. Tomo una pastilla

Pista 36

c. ▸ Escucha y contesta a las preguntas.

1.   a. ¿Qué enfermedad puede tener el hijo? ....

     b. ¿Qué va a hacer la madre? ....

2.   a. ¿Dónde practican deporte Carlos y Juan? ....

     b. ¿Por qué practican deporte? ....

3.   a. ¿Qué tiene que comprar el enfermo? ....

     b. ¿Está lejos la farmacia? ....

Recuerda y practica el imperativo

a. ▶ Completa las formas de los imperativos irregulares.

	PENSAR	PEDIR	DORMIR	CONDUCIR	COGER
(tú)		pide		conduce	coge
(usted)	piense				coja
(vosotros/as)		pedid			
(ustedes)			duerman	conduzcan	

	SEGUIR	BUSCAR	PAGAR	EMPEZAR	CONSTRUIR
(tú)	sigue				construye
(usted)		busque			
(vosotros/as)			pagad		
(ustedes)				empiecen	

b. ▶ Completa.

1. (Coger, usted) .... un número y (esperar, usted) .... su turno.
2. ¿La oficina de turismo? Sí, (mirar, usted) ...., (seguir, usted) .... por esta calle y, al final, hay una plaza, (cruzar, usted) .... la plaza y allí está.
3. (Tener, ustedes) ...., sus billetes. Buen viaje.
4. (Tomar, vosotros) .... (Leer, vosotros) .... estos informes atentamente y (diseñar, vosotros) .... un plan de acción.
5. (Ir, tú) .... a la panadería y (comprar, tú) .... una barra de pan y un litro de leche.
6. (Conducir, ustedes) .... con precaución, esta carretera no es muy buena.
7. (Descansar, vosotros) .... Hoy ha sido un día muy duro.
8. (Firmar, tú) .... aquí.
9. Por favor, (hacer, tú) .... la compra. Ya no tenemos nada en el frigorífico.
10. (Saber, usted) .... que en esta casa vivió Picasso.

c. ▶ Completa estas frases siguiendo el modelo.

1. Si te duele la cabeza, toma una aspirina.
2. Si te has hecho un corte en un dedo, …
3. Si tienes una quemadura y te duele mucho, …
4. Si tu hermano tiene fiebre, …
5. Si te duele el estómago, …
6. Si tu abuelo tiene problemas de corazón, …

d. ▶ Relaciona los accidentes domésticos con el lugar de la casa donde son más frecuentes estos accidentes y cómo se suelen producir. Luego, da consejos a personas que han tenido estos accidentes.

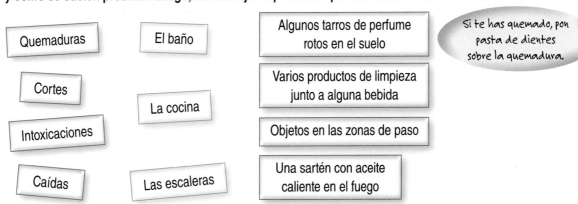

Quemaduras

El baño

Algunos tarros de perfume rotos en el suelo

Si te has quemado, pon pasta de dientes sobre la quemadura.

Cortes

La cocina

Varios productos de limpieza junto a alguna bebida

Intoxicaciones

Objetos en las zonas de paso

Caídas

Las escaleras

Una sartén con aceite caliente en el fuego

Acción — Un decálogo de vida saludable

Una amiga que trabaja en una revista digital te ha pedido que prepares un decálogo sobre un aspecto de la salud. Lee su *e-mail* y prepara ese decálogo.

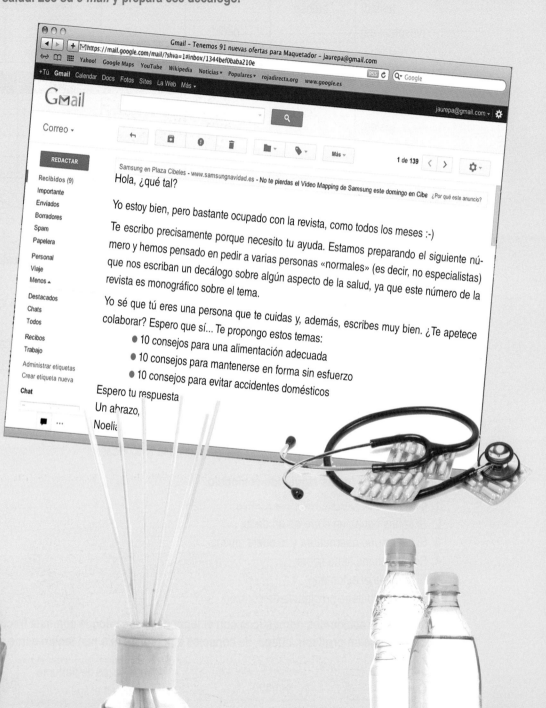

Hola, ¿qué tal?

Yo estoy bien, pero bastante ocupado con la revista, como todos los meses :-)

Te escribo precisamente porque necesito tu ayuda. Estamos preparando el siguiente número y hemos pensado en pedir a varias personas «normales» (es decir, no especialistas) que nos escriban un decálogo sobre algún aspecto de la salud, ya que este número de la revista es monográfico sobre el tema.

Yo sé que tú eres una persona que te cuidas y, además, escribes muy bien. ¿Te apetece colaborar? Espero que sí... Te propongo estos temas:

- 10 consejos para una alimentación adecuada
- 10 consejos para mantenerse en forma sin esfuerzo
- 10 consejos para evitar accidentes domésticos

Espero tu respuesta

Un abrazo,

Noelia

102 ciento dos

Módulo

10

Infórmate y conoce los medios de comunicación

En este módulo vamos a...

contar una noticia y reaccionar ante otras.

Pasos

Paso 1: Prepárate e informa de tus hábitos de lectura.

Paso 2: Soluciona tus problemas e intervén en una conversación.

Paso 3: Simula y haz una entrevista.

Paso 4: Repasa y actúa, prepara las noticias de actualidad e informa a tus compañeros.

Paso 1
Informa: La prensa y tú

1 Conoce las características de un periódico

a. ▶ Observa los anuncios e indica cuál se refiere a un periódico y cuál a una revista. ¿Por qué?

DESAYUNA TODAS LAS MAÑANAS CON TU DIARIO

HoY

■ Contamos todas las noticias de forma objetiva e independiente.
■ Ofrecemos la opinión de los expertos.
■ Las secciones más interesantes: deportes, cultura, internacional, sociedad…
■ Los suplementos más atractivos.

Solo 1€

La publicación mensual de moda favorita de los jóvenes

tendencias XXI

● 250 páginas a todo color
● Todos los meses en tu quiosco
● Trucos, secretos, ropa, belleza, música, cine, famosos...

Por solo 3,75 € todo para ir a la moda

b. ▶ Completa, con las palabras de los anuncios, este esquema del vocabulario relacionado con la prensa.

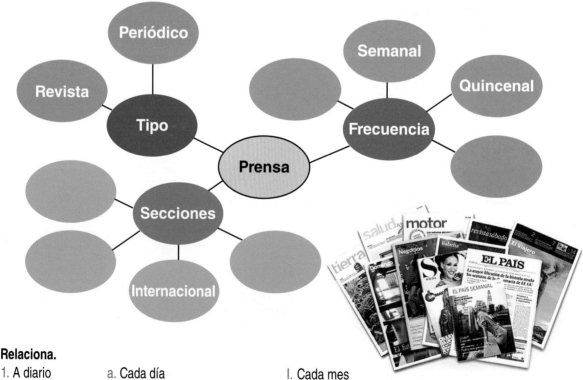

Periódico · Revista · Tipo · Semanal · Quincenal · Frecuencia · Prensa · Secciones · Internacional

c. ▶ Relaciona.

1. A diario	a. Cada día	I. Cada mes
2. Semanal	b. Cada dos semanas	II. Semana sí y semana no
3. Quincenal	c. Cada tres meses	III. Todas las semanas
4. Mensual	d. Una vez a la semana	IV. Todos los días
5. Trimestral	e. Una vez al mes	V. Una vez cada tres meses

2 Descubre la prensa española

Pista 37

▸ Relaciona las publicaciones con el tipo de prensa que son. Luego, escucha y responde.

| Periódico nacional | Revista de cine | Periódico deportivo |
| Revista del corazón | Revista de informática | Revista de historia |

1. ¿Por qué no lee Marta periódicos nacionales?
   a) Porque no lee el periódico todos los días.
   b) Porque prefiere leer periódicos subjetivos.
   c) Porque prefiere los periódicos locales.

2. La abuela quiere la revista *Hola* para...
   a) ...conocer las noticias de actualidad política.
   b) ...conocer la vida de los famosos.

3. ¿Compra la prensa deportiva todos los lunes?
   ¿De qué temas trata la revista *Clío*?

3 Aprende las expresiones para valorar

▸ Observa estas opiniones. ¿Con quién estás más de acuerdo? Después, marca las expresiones de valoración.

> A mí me aburren los periódicos. No me interesa mucho lo que pasa fuera de mi barrio.

> Pues a mí me divierte la prensa deportiva, me parece muy interesante. La leo una vez a la semana.

> A mí no, a mí me parece una pérdida de tiempo. A mí me gusta leer el periódico, es muy importante, pero me aburre la sección de economía.

4 Informa: ¿Qué tipo de prensa lees?

▸ Explica qué prensa lees, con qué frecuencia y el motivo. ¿Hay alguien en clase con tus mismos gustos?

Paso Soluciona: 2 Intervén en una conversación

Conoce el pretérito perfecto simple

a. ▸ Relaciona las preguntas con las respuestas de esta entrevista al director de una orquesta muy original.

1. ¿Cuál es el origen del proyecto?

2. ¿Y decidiste hacer una orquesta con madres?

3. ¿Y qué tal la experiencia?

a. Fantástica... El año pasado, por ejemplo, viajamos por el norte del país y tocamos nuestra música en festivales populares donde conocimos mucha gente y muchos proyectos interesantes. Recuerdo que, en la ciudad de Corrientes, la gente compró todos los tiques en solo tres horas...

b. Pues es bien fácil... en el año 1994 viajé a Buenos Aires y conocí a un grupo de mujeres de una asociación de vecinos que vivieron los años de la dictadura y decidieron organizar un grupo de música popular para animar la lucha de su barrio y mantener las tradiciones... Cuando volví a Córdoba, pensé mucho en esa idea...

c. Bueno, más o menos... la verdad es que trabajé muchos años con niños en Córdoba, donde nací, y enseñé a tocar diversos instrumentos a niños desde 6 años..., pero nunca a las madres... Y cuando conocí a las mujeres de Buenos Aires pensé: «Si es bueno para los niños, tiene que ser bueno para las madres...».

b. ▸ Marca en el texto los verbos que se refieren al pasado. Luego, reflexiona y completa el cuadro.

PRETÉRITO PERFECTO SIMPLE

	AR	ER	IR
	TRABAJAR	CONOCER	DECIDIR
(yo)			decidí
(tú, vos)	trabajaste		
(usted, él, ella)		conoció	decidió
(nosotros, nosotras)			decidimos
(vosotros, vosotras)	trabajasteis		
(ustedes, ellos, ellas)		conocieron	

Con el pretérito perfecto simple hacemos referencia a acciones terminadas que ocurrieron en una unidad temporal terminada y cerrada. Puede ser una fecha exacta (*el 4 de octubre*), un año (*en 1987*), un periodo de tiempo (*de marzo a mayo*), la referencia a un momento específico (*ayer, anoche, la semana pasada, el mes/año pasado, hace 3 meses...*).

c. ▸ Completa esta biografía de Buñuel con los verbos en la forma adecuada.

conocer   rodar   vivir   cambiar   inscribir   descubrir   nacer

Luis Buñuel .... en 1900. En 1908 .... el cine y .... su vida. Entre 1917 y 1925 .... en Madrid. Allí .... a Dalí y a Lorca. Un año después, en 1926, se .... en la Academia de Cine y en 1929 .... la película *Un perro andaluz* en colaboración con Dalí.

ganar   censurar   ver   invitar   calificar   rodar   exiliar

to grade

Tras la Guerra Civil, se .... , pero lo .... a trabajar en España. En 1961 .... la película *Viridiana*, probablemente la mejor película de la historia del cine español. .... el Festival de Cannes y el Gran Premio del Humor Negro de París, pero el Gobierno de Franco la .... y el Vaticano la .... como «inmoral y blasfema». En España se .... por primera vez en 1977, dos años después del fin de la dictadura.

2 Cuenta la noticia del día

a. ▸ Identifica las partes de esta noticia.

Antetítulo   Entradilla o noticia   Pie de foto   Titular

La gente esperó más de una hora para comprar las entradas

El Museo del Prado inauguró una exposición sobre Velázquez

El fin de semana pasado se abrió al público la exposición sobre Velázquez. El sábado visitaron el museo cinco mil personas. La gente vio por primera vez en la historia todas las obras del genial pintor en una misma exposición. La directora del museo organizó una rueda de prensa y comentó que se formaron largas colas a la entrada del museo. También, aseguró que a los visitantes les encantó la experiencia.

Entrada principal al Museo de Prado

b. ▸ Escribe la noticia del día con todos los elementos de un artículo de prensa.

3 Soluciona: Participar en una conversación

a. ▸ Escucha a estas dos personas hablando de las diferencias culturales y responde a las preguntas.

Pista 38

1. ¿Qué piensa el extranjero de las interrupciones de los españoles?

2. ¿Qué piensa el español de los silencios de los extranjeros?

3. ¿Por qué los españoles interrumpen?

4. ¿Por qué se quedan callados los extranjeros?

Para ayudarte

¡Qué bien/mal! ¡Qué...!
¿De verdad?
¡Ah! ¿Sí?
¿Sí?
Ajá.
Sí, sí, es verdad.
¿No? No puede ser.
¿Y qué tal?

b. ▸ Ahora cuéntale a tu compañero la noticia del día y él reaccionará. Reacciona cuando él te cuente su noticia.

Paso 3 Haz una
Simula: entrevista

a. ▸ **Responde a este cuestionario y compara tus respuestas con las de tu compañero.**

1. ¿Dónde escuchas la radio normalmente?
   a) En el coche.
   b) En casa.
   c) Por la calle.
   d) Otro: ....

2. ¿Qué emisoras de radio sueles escuchar?
   a) De música.
   b) De deportes.
   c) Generales (noticias, entrevistas...).
   d) Otro: ....

3. ¿Qué es lo que más te gusta de la radio?
   a) Es el medio que da las noticias más rápido.
   b) Puedo escuchar la radio en cualquier lugar.
   c) Es como estar en una conversación con los radioyentes del programa.
   d) Otro: ....

4. ¿Cuántas horas ves la televisión al día?
   a) Menos de una hora.
   b) Entre una y tres horas.
   c) Más de tres horas.
   d) Otro: ....

5. Eres un telespectador asiduo de...
   a) Deporte.
   b) Películas.
   c) Noticias.
   d) Otro: ....

6. ¿Hay algo que ves todos los días o todas las semanas?
   a) Sí, las noticias.
   b) Sí, una serie. ¿Cuál? ....
   c) No sé. Veo los programas con más audiencia, los que están de moda, pero no soy fan de ninguna serie ni programa.
   d) No, casi no veo la tele.

7. ¿Tienes algún canal preferido?
   a) Sí, hay uno que veo siempre. ¿Por qué? ....
   b) No, veo lo que me gusta y no me importa el canal.

8. Califica, de 1 (lo mínimo) a 10 (lo máximo), tu interés por la radio y por la televisión.
   a) La radio: ....
   b) La televisión: ....

b. ▸ **Con la ayuda de la encuesta, clasifica este léxico.**

	Canal	Emisora	Noticias	Programa	Radioyente	Audiencia	Telespectador	Serie

c. ▸ **Escucha estos fragmentos de radio e identifica el tipo de programas que son.**

Pista 39

☐ Noticias   ☐ Retransmisión deportiva   ☐ Entrevista

☐ Programa musical   ☐ Debate político   ☐ Crítica de cine

d. ▸ **Escucha otra vez y responde a las preguntas.**

Pista 39

1. ¿Quién criticó al presidente del gobierno el mes pasado?

2. ¿A qué género pertenecen las primeras películas que hizo el director Alejandro Amenábar?

3. ¿Hace cuántas semanas llegó el grupo Amaral al número 1 de ventas?

4. ¿Consiguió el gol el futbolista en el momento del partido que escuchamos?

5. ¿Cuántos turistas visitaron España el año pasado?

6. ¿Dónde estuvo este colaborador antes de ir a África?

2 Descubre formas irregulares del pretérito

a. ▶ Relaciona estas formas irregulares con sus personas.

b. ▶ Lee la experiencia de este profesor cubano en España y completa con los verbos en la forma correcta.

Cuando (llegar) .... a España, (buscar) .... a otros compatriotas e (intentar) .... mantener mis costumbres, las comidas de mi tierra, la música que me gusta..., pero (ser) .... difícil al principio. Hasta que un día un amigo me (invitar) .... a visitar el Centro Cultural de las Américas.

Allí alguien (pensar) .... en poner Internet para escuchar las radios de todos los países latinoamericanos. (Ser) .... una idea magnífica... a veces un poco polémica, pero siempre divertida. Recuerdo que un día un amigo me (decir) .... un poco nervioso: «A las nueve (llegar) .... Edel y (poner) .... Radio Rebelde de Cuba. Cuando (ir) .... a pedir un café, (llegar) .... los chilenos y (cambiar) .... la emisora y Edel (tener) .... que esperar paciente y tomarse el café escuchando las noticias chilenas. Después, las niñas mexicanas (pedir) .... cambiar a Radio Central y (decir) .... que había un programa especial sobre Luis Miguel y los boleros...».

¡Madre mía! No recuerdo cuánto tiempo (estar) .... así, contando todos los cambios de emisora...

3 Simula: Haz una entrevista

▶ Prepara una entrevista para tu compañero sobre su experiencia estudiando español.

–¿Por qué empezaste a estudiar español?
–¿Cuál fue la primera palabra que aprendiste en español?
–¿Cómo fue tu primera clase de español?
–¿Quién fue tu primer profesor de español?
–(...)

Repasa el pretérito perfecto simple

a. ▸ **Completa.**

1. Ayer (comprar, tú) .... un diccionario de español.
2. La semana pasada, mi hermano (entrenar) .... todos los días en la piscina.
3. Mi mamá (cocinar) .... una tortilla de patatas anoche.
4. El año pasado (vivir, nosotros) .... en Córdoba.
5. El martes pasado (escribir, yo) .... un correo electrónico a mi profesor.
6. Hace dos años (comer, tú) .... paella por primera vez.
7. Ayer (conocer, vosotros) .... a mi novia, ¿verdad?

Pista 40

b. ▸ **Escucha y señala si las frases son *verdaderas* o *falsas*.**

	V	F
Ayer vino el presidente a la ciudad.	☐	☐
El amigo del protagonista lo vio por la televisión.	☐	☑
Fue mucha gente a verlo.	☐	☐

Repasa el vocabulario de los medios de comunicación

a. ▸ **¿Qué tipo de programa de televisión se muestra en estas fotos?**

1.

2.

3.

4.

b. ▸ **Completa.**

1. ¿Has visto el .... de hoy? Viene una noticia muy interesante sobre el presidente del país.
2. ¿Sueles leer muchos periódicos? No, me gustan más las ....
3. Es una revista ...., sale todos los lunes.
4. Hoy el periódico trae una .... sorprendente sobre el campeonato de liga.
5. Lo qué más me gusta del periódico es la .... de economía, así puedo saber cómo están mis acciones.
6. Antonio, bajo un momento al .... de la esquina para comprar el periódico.

c. ▶ **Elige la opción adecuada en cada caso.**

En Radio 5 están muy contentos...
a) ... porque ha aumentado el número de telespectadores.
b) ... porque ha disminuido el número de radioyentes.
c) ... porque ha subido el número de radioyentes.

¿Otra vez fútbol en la tele?
a) Claro, aquí siempre, porque es un canal temático.
b) Claro, aquí siempre, es una emisora especializada.

¡Es horrible tanta telebasura!
a) Ya, es buenísimo para los niños.
b) Ya, pero con estos programas sube la audiencia.
c) Ya, voy a tirar la tele a la basura ahora mismo.

¿Qué película estás viendo?
a) Es el Barcelona-Real Madrid, la final de la Copa.
b) No es una peli, es una serie que empezó el lunes pasado.
c) Es otro anuncio de detergente.

3 Conoce el vocabulario de los ordenadores e Internet

▶ **Completa el texto con estas palabras.**

blog   correo electrónico   navegar   páginas web   portátil   red social

Me encanta .... por Internet. Todos los días paso varias horas delante de mi ....
Lo primero que hago es entrar en Facebook, la .... más famosa del mundo para ver qué han hecho mis amigos, leer lo que han escrito en mi muro, felicitar los cumpleaños o ver las fotos y dejar comentarios. Después leo algunos periódicos y visito algunas .... que me interesan sobre mis temas favoritos: libros, viajes y deporte. También consulto mi .... Una vez a la semana escribo algo en mi .... o subo algunas fotos.

4 Repasa y aprende qué es el periodismo ciudadano

▶ **¿Sabes qué es el periodismo ciudadano? Lee las siguientes definiciones y elige la que creas que es más adecuada para explicar qué es.**

Es el periodismo que se hace pensando en el ciudadano que tiene poco tiempo y pocos recursos económicos: son los periódicos como *20 minutos, Metro*, etc., que se reparten en las calles o los medios de transporte... Son mucho más breves que los tradicionales y, además, son gratis.
1.

Todos los ciudadanos pueden expresar sus opiniones sobre la situación política, social, económica o cultural y sobre los acontecimientos locales, nacionales, deportivos, etc., gracias a Internet y, especialmente, a los *blogs*.
2.

La participación de los ciudadanos en los medios de comunicación tradicionales se conoce como *periodismo ciudadano*. Por ejemplo: la participación en las ediciones digitales de los periódicos, las cartas que se escriben al director, las llamadas telefónicas a los programas de radio o televisión...
3.

Acción

Tu telediario

En grupos, vamos a hacer un telediario. Vamos a contar cuáles han sido los sucesos más importantes o curiosos en nuestra ciudad durante esta semana. El telediario va a tener la siguiente estructura y cada grupo se va a encargar de una de estas secciones:

1. Una noticia política
2. Una noticia cultural
3. Una noticia económica
4. Una noticia deportiva

Prepara bien las noticias porque las vamos a contar delante de la clase.
¡Los compañeros son los espectadores!

Módulo 11

Encuentra trabajo en un país hispano

En este módulo vamos a...
escribir una carta de presentación.

Pasos

Paso 1: Prepárate e informa de tu currículum vítae.
Paso 2: Soluciona tus problemas, analiza ofertas de trabajo y consulta dudas.
Paso 3: Simula una entrevista de trabajo.
Paso 4: Repasa y actúa, elige una oferta de trabajo y escribe tu carta de presentación.

Paso **1** Tu currículum vítae
Informa:

1 ╱ **Conoce el vocabulario para rellenar un currículum**

a. ▸ **Pon en orden los apartados de un currículum. Después, relaciona los datos con los apartados.**

☐ Experiencia laboral
☐ Idiomas
☐ Datos personales
☐ Formación académica
☐ Informática
☐ Formación complementaria

1. Carné de conducir
2. Casado, soltero…
3. Comercial en…
4. Conocedor de…
5. Conocimientos de… básicos
6. Dominio del inglés
7. Empleado en…

8. Experto en programas…
9. Ingeniero/Licenciado en… (Físicas, Matemáticas, Filología…) por la universidad…
10. Nacionalidad…
11. Título de bachiller en…
12. Usuario de…

b. ▸ **Lee esta oferta de empleo y selecciona al mejor candidato.**

> **PROFESORES DE IDIOMAS** Nueva academia de idiomas en la ciudad busca profesores de inglés, francés, alemán e italiano para cursos por las tardes. Imprescindible formación universitaria. Valoramos experiencia docente, dinamismo y habilidades para trabajar en grupo. info@acaidiomas.com +34 903 483 929

MARTA LEWIS
Londres, 12 mayo 1981
Nacionalidad española-británica
Bilingüe
Casada, 2 hijos
Licenciada en Filología Inglesa
Profesora de inglés (2005-2008)
Carné de conducir
Vehículo propio
Disponibilidad inmediata

JULIO COMPÁS
Madrid, 16 julio 1969
Español
Idiomas: español, francés, alemán
Casado, sin hijos
Licenciado en Traducción
Profesor de francés y alemán en primaria y secundaria (1993-2009) y en academias

DANIEL ZMUGG
Viena, 8 abril 1974
Nacionalidad española-austriaca
Idiomas: español y alemán (nativo), inglés, francés, italiano y japonés
Soltero
Licenciado en Traducción
Licenciado en Filología Románica
Máster en Didáctica de Segundas Lenguas

c. ▸ **Ponte de acuerdo con tus compañeros: ¿cuál es el mejor candidato?**

2 ╱ **Aprende a informar sobre ti cuando buscas empleo**

a. ▸ **Rellena este formulario de inscripción a una empresa de trabajo.**

Estudios		
☐ Doctor universitario	☐ Máster universitario	☐ Grado universitario
☐ Bachillerato	☐ Secundaria	☐ Certificado escolar
Experiencia laboral		
☐ Sin experiencia	☐ He hecho prácticas	
☐ Tengo experiencia en puestos similares	☐ Especificar: …………………………………	
Información de interés		
☐ Carné de conducir	☐ Disponibilidad para viajar	
☐ Cualidades y capacidades: ………………………………………………………………………		

b. ▶ **Lee lo que un candidato ha escrito, relaciona las palabras marcadas con su significado y lee la explicación.**

Aprendo rápidamente las cosas nuevas. Me interesan todas las partes del proceso de desarrollo de los productos, especialmente lo relacionado con el *marketing* y la publicidad.	De forma especial De modo rápido

> Los adverbios se forman a partir un adjetivo femenino singular más el final *–mente*.
> Normalmente son adverbios que indican modo.

c. ▶ **Forma los adverbios y completa estas descripciones de candidatos.**

Soy muy claro y me gusta hablar .... con mis compañeros y clientes.
Cuando negocio, prefiero cerrar .... una venta antes de informar a los jefes.

tranquilo
fácil
práctico
directo
aproximado
total

Tengo .... 2 000 horas de experiencia en clase. Cuando hay problemas en la clase, me gusta hablar .... con los alumnos y no imponer mi autoridad por la fuerza.

Me integro .... en equipos de trabajo, nunca he tenido problemas. Además, hablo inglés, alemán y ruso .... como un nativo.

Pista 41

3 Comprende las recomendaciones de un profesional

▶ **Escucha los consejos de un orientador laboral e identifica el empleo que aconseja a cada uno.**

¿Qué aconseja a Carlos?

¿Qué recomienda a Ana?

¿Qué sugiere a Carmen?

4 Informa: Tu currículum vítae

▶ **Fíjate en estos fragmentos de varios CV y, a partir de estos modelos y de todo lo que has visto en esta lección, prepara tu CV en español.**

DATOS PERSONALES

Nombre:	Antonio José Gómez Marín
Fecha nacimiento:	19 de mayo de 1980
Estado civil:	Soltero
DNI:	25839882F
Dirección:	Avenida Juan Sebastián Elcano, 23 28045 Madrid
Teléfono:	+34 915 522 159
E-mail:	ajgomez@correo.net

EXPERIENCIA LABORAL

2006-2010	Asesor fiscal, Caja Castilla, Salamanca
2002-2006	Contable, Aluminios del Sur, Madrid
2000-2002	Cajero (prácticas), Banco Sol, Madrid

RECOMENDACIONES

1.- Escribe siempre la verdad.
2.- Escribe los datos desde la actualidad hacia el pasado.
3.- Especifica datos de interés (fechas, empresas, referencias...).

IDIOMAS

Español	Lengua materna
Inglés	Nivel avanzado (oral y escrito)
Francés	Nivel avanzado (oral y escrito)
Chino	Nivel básico (escrito)

Paso Soluciona: 2 Analiza ofertas de trabajo

Familiarízate con las formas de buscar empleo

a. ▶ Hay muchas formas de conseguir un trabajo. ¿Cuál crees que es más efectiva? ¿Por qué?

Yo prefiero ir a una oficina pública de empleo o a una empresa de trabajo. Allí hay expertos que me asesoran. Les dejo mi currículum y ellos hacen de intermediarios entre las empresas que buscan trabajadores y los candidatos.

b. ▶ Ordena el proceso de búsqueda de empleo.

☐ Enviar el CV
☐ Leer una oferta en el periódico
☐ Pasar una entrevista de trabajo
☐ Concertar una entrevista
☐ Firmar el contrato
☐ Discutir las condiciones

Leo la sección de anuncios del periódico y busco las ofertas. Después sigo las instrucciones que dan. A veces hay que llamar por teléfono y enviarles el currículum por correo.

Hay páginas web donde subes tus datos personales, académicos y profesionales y recibes en tu correo electrónico las ofertas. Hay muchas empresas que usan estas páginas.

Comprende el vocabulario de las ofertas de empleo

a. ▶ Lee estos tres anuncios de ofertas de empleo y localiza esta información.

horas de trabajo al día – tipo de trabajo – duración del trabajo – dinero – característica necesaria que debes tener.

ADMINISTRATIVO PARA EMPRESA DE ROPA			
Ciudad:	Alicante	País:	España
Puesto:	Administrativo	Jornada laboral:	Jornada completa
Descripción:	Preparar pagos para empleados, hacer facturas, llevar la contabilidad de gastos e ingresos		
Requisitos:	Diplomado en Economía o en Administración. Experiencia mínima de 2 años		
Contrato:	Indefinido	Salario:	19 500 euros/año

PROFESOR DE EDUCACIÓN FÍSICA			
Ciudad:	Santander	País:	España
Puesto:	Profesor	Jornada laboral:	Media jornada (mañanas)
Descripción:	Dar clase de Educación Física a chicos de 6–12 años		
Requisitos:	Licenciado en Educación Física		
Contrato:	Un año	Salario:	1600 euros/mes

FOTÓGRAFO COLABORADOR			
Ciudad:	Granada	País:	España
Puesto:	Fotógrafo	Jornada laboral:	Por horas
Descripción:	Hacer fotos de eventos de actualidad política, social, deportiva y cultural		
Requisitos:	Experiencia en puesto similar		
Contrato:	Por obra y servicio	Salario:	A convenir (por eventos o por fotos)

b. ▶ Relaciona estos términos con su explicación.

1. Jornada completa
2. Contrato indefinido
3. Requisitos
4. Media jornada
5. Salario a convenir
6. Puesto
7. Contrato por obra y servicio

a. No se trabaja el día completo, solo la mitad (normalmente, 4 horas).
b. Sueldo no cerrado que hay que negociar.
c. El trabajo que hay que hacer.
d. Contrato fijo, que no tiene fecha final.
e. Contrato temporal que no tiene una duración exacta: dura hasta el final de proyecto o de una obra.
f. Se trabaja todo el día (normalmente, 7 u 8 horas).
g. Son las características que debe tener un candidato.

Pista 42

c. ▶ Escucha estos fragmentos de una reunión de directivos de una empresa y toma nota de la información sobre las ofertas de empleo que van a hacer.

OFERTA 1	OFERTA 2	OFERTA 3
Puesto:	Puesto:	Puesto:
Funciones:	Funciones:	Funciones:
Salario:	Salario:	Salario:
Jornada de trabajo:	Jornada de trabajo:	Jornada de trabajo:
Fecha comienzo:	Fecha comienzo:	Fecha comienzo:
Lugar de trabajo:	Lugar de trabajo:	Lugar de trabajo:

d. ▶ ¿Hay alguna de estas ofertas que te interesa? ¿Piensas que son buenas ofertas?

3 Soluciona: Analiza ofertas de trabajo y consulta dudas

a. ▶ Muchas veces las ofertas de empleo no tienen toda la información que necesitamos. Relaciona las situaciones y dudas que tienes con las preguntas adecuadas.

1. Solo puedo trabajar en verano porque en septiembre tengo que estudiar en la universidad.
2. No sé si mi perfil es adecuado para este trabajo.
3. No he visto el sueldo en la oferta de empleo.
4. No sé si el trabajo es por las mañanas o por las tardes… o todo el día.

a. ¿Qué duración tiene el contrato?
b. ¿Puedo trabajar aquí?
c. ¿Qué requisitos son obligatorios?
d. ¿Me puede informar del sueldo?
e. ¿Cuánto voy a ganar?
f. ¿El trabajo es de media jornada o de jornada completa? ¿Se trabaja los fines de semana también?

b. ▶ Estás buscando trabajo y has visto estas tres ofertas en el periódico. Elige la que más te interesa según tus estudios, tus gustos, etc.

Necesitamos **dependientes** para nuevas tiendas de moda y complementos
- Media jornada.
- Contrato de seis meses.
- Para nuestras tiendas de los nuevos centros comerciales de Madrid.

Agencia de publicidad busca **periodista** y **fotógrafo**
- Para hacer un reportaje con fotos al mes por lugares exóticos y de aventuras.
- Viajes y gastos pagados.
- Entre 1000 y 1400 euros por reportaje.

OFERTA DE EMPLEO: Secretario de dirección en multinacional
- Experiencia mínima de 2 años en puesto similar.
- Tres meses de prueba y contrato indefinido posterior.
- Sueldo: 1100 euros/mes.

c. ▶ Escribe un *e-mail* presentándote y preguntando lo que necesitas.

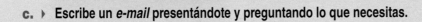

Paso 3 En una entrevista
Simula: de trabajo

1

a. ▸ **¿Crees que estas afirmaciones sobre el mundo del trabajo en España son verdaderas o no?**

☐ La jornada laboral es de 40 horas semanales.

☐ El sueldo se cobra semanalmente, no mensualmente como en otros países.

☐ En la mayoría de trabajos, hay 6 semanas de vacaciones al año.

☐ No es normal incluir las cualidades personales (capacidad de trabajo en grupo, curioso, puntualidad, etc.) en el CV, normalmente se informa de ellas en la entrevista o en la carta de presentación.

☐ La mayoría, en especial los jóvenes, son *mileuristas*, es decir, que ganan más o menos 1 000 euros al mes.

☐ En la entrevista de trabajo, siempre se habla de *usted* al entrevistador.

☐ Si te quedas sin trabajo, puedes cobrar el desempleo como máximo 3 años.

b. ▸ **Ahora, busca la solución a la actividad anterior en estos fragmentos de noticias y titulares de prensa.**

(…) recomendamos que se hable de *usted* en la entrevista de trabajo, incluso si el entrevistador utiliza la forma *tú*.

TE RECOMENDAMOS LOS MEJORES DESTINOS DEL AÑO
VACACIONES DE VERANO,
LOS TREINTA DÍAS MÁS FELICES DEL AÑO

ECONOMÍA Entrevista con Julián Martínez, desempleado

«El próximo mes terminan mis dos años de paro y no sé qué voy a hacer para dar de comer a mi familia».

Tras la reforma, la jornada laboral en España puede ser inferior, pero nunca puede superar las 40 horas.

LOS MILEURISTAS SON MAYORÍA
Más del 50% de los españoles cobra menos de 1100 euros al mes

La huelga fue convocada porque los trabajadores no recibieron su sueldo en los últimos seis meses: «Llegaba fin de mes y la empresa no nos pagaba…», afirma Pedro Cortés.

(…) Otra de las diferencias es el hecho de hablar de las cualidades personales (la capacidad de liderazgo, de trabajo en equipo, etc.). En muchos países esa información se incluye en el CV. Sin embargo, en España, por una cuestión cultural, eso no es así. Normalmente es en la entrevista de trabajo cuando se habla de esos temas.

c. ▸ **¿Qué es igual y qué es diferente en tu país? ¿Qué cosas prefieres de uno y de otro?**

2

Pista 43

a. ▸ **Escucha este fragmento de una entrevista de trabajo y marca de la lista los temas de los que hablan.**

b. ▸ **¿Qué preguntas crees que son más difíciles de contestar en una entrevista de trabajo?**

☐ El sueldo
☑ La experiencia laboral del candidato
☑ La disponibilidad para viajar
☑ Los idiomas que habla el candidato
☑ Los intereses profesionales
☑ Los estudios del candidato
☐ Los viajes que ha hecho el candidato
☐ Las funciones del puesto de trabajo
☐ La duración del contrato
☐ El tipo de contrato

c. ▸ Lee y completa las experiencias profesionales de estas tres personas con las perífrasis del cuadro.

Blanca

Empecé a estudiar Derecho en 2001.
Dejé de estudiar por problemas familiares y trabajé en
un restaurante. Volví a estudiar en 2009 y este año
acabo de terminar la carrera.

Mario

En el restaurante .... trabajar
en junio (cuando empieza la temporada alta) y trabajamos
hasta septiembre. Después .... trabajar en Navidad
y en Semana Santa, cuando hay más turismo.

Tania

En 1998 nació mi hijo y ....
trabajar. Tres años más tarde .... buscar
para .... trabajar, pero no encontré
nada interesante y .... estudiar. Ahora
.... abrir mi propia empresa por Internet.

Perífrasis
Empezar a + infinitivo Iniciar la realización de una acción.
Dejar de + infinitivo Terminar o hacer una pausa en una acción.
Volver a + infinitivo Continuar con una acción que se ha interrumpido.
Acabar de + infinitivo Haber hecho una acción inmediatamente antes de hablar.

3 Simula: En una entrevista de trabajo

a. ▸ ¿Cuáles de las siguientes preguntas son parte de una entrevista de trabajo?

1. ¿Dónde se especializó usted?
2. ¿Cree que tiene usted capacidad para afrontar situaciones de estrés y tensión?
3. ¿Qué va a hacer usted al salir de aquí?
4. En su CV, dice que habla cuatro idiomas. ¿Puede demostrarlo con algún certificado o título?
5. ¿A qué partido votó en las últimas elecciones municipales?
6. ¿Ha realizado algún trabajo de coordinación de un equipo grande de personas?
7. ¿Ha tenido alguna experiencia laboral en este sector?
8. ¿Qué cree que le puede diferenciar a usted de otros candidatos al puesto?
9. ¿Prefiere té o café?

b. ▸ Elige un puesto de trabajo y prepara una serie de preguntas para realizar una entrevista a un compañero. Te presentamos cuatro posibles puestos de trabajo.

- Camarero para un restaurante de lujo
- Jefe de *marketing* de una empresa internacional de moda
- Comercial de una agencia de viajes
- Redactor jefe de un periódico deportivo

c. ▸ Elige un compañero para representar la entrevista de trabajo que habéis preparado anteriormente. Primero, tú entrevistarás a tu compañero y, después, él te entrevistará a ti.

d. ▸ Después de la entrevista, completa esta breve ficha sobre la experiencia.

Datos de la entrevista
Nombre del candidato: ....
Valoración general del candidato: 1 – 2 – 3 – 4 – 5 – 6 – 7 – 8 – 9 – 10
Aspectos destacables: ....
Posibles dificultades: ....

¿Buena apariencia?	☐ Sí ☐ No		¿Seguridad en sí mismo?	☐ Sí ☐ No
¿Demuestra interés?	☐ Sí ☐ No		¿Demuestra iniciativa?	☐ Sí ☐ No
¿Demuestra conocimientos?	☐ Sí ☐ No			

Paso 4 Elige una oferta
Repasa y actúa:

a. ▶ **Subraya la opción más adecuada de las tres que se proponen.**

1. Esta tarde no voy a salir porque tengo que escribir mi carta de presentación/oferta de empleo/jornada, ya que he visto en el periódico algunos trabajos que me interesan.

2. Me han llamado esta mañana para citarme para una experiencia laboral/entrevista de trabajo/jornada laboral porque he sido uno de los seleccionados para el puesto de jefe de ventas.

3. Estoy pensando si aceptar la oferta porque me han ofrecido solo disponibilidad para viajar/experiencia/media jornada y no se gana mucho en esas condiciones.

4. Me ha gustado el tercer candidato porque es creativo/desempleado/moreno y parece que tiene capacidad de liderazgo. ¿Qué piensas?

b. ▶ **Haz este crucigrama.**

Horizontales

1. Persona que no trabaja.
2. Empleo.
3. Empresa de trabajo temporal.
4. Cantidad de dinero que recibe un empleado por realizar su trabajo.
5. Día de trabajo.
6. Título universitario.

Verticales

1. Lugar de trabajo.
2. Conjunto de trabajos que ha realizado una persona en su vida y que se incluyen en el CV.
3. Cualidad de la persona que llega a tiempo o antes de tiempo a sus citas.
4. Encuentro entre una empresa y un candidato a un puesto de trabajo.
5. Ofrecimiento de un trabajo para cubrir un puesto en una empresa.
6. Desempleo.

c. ▶ Después de elegir la oferta y de enviar el CV, llega la entrevista de trabajo. Escucha estos fragmentos en los que hablan dos personas e identifica cuáles de ellos pertenecen a una entrevista de trabajo. Explica por qué. El resto de fragmentos, ¿qué son?

Pista 44

1.☐   2.☐   3.☐   4.☐   5.☐

Repasa y amplía los adverbios que se forman en −mente

a. ▶ Escribe el adverbio que corresponde a cada definición.

Con mucha frecuencia	➡	
De forma educada	➡	
De modo correcto	➡	
De forma lenta	➡	
De modo grave	➡	
Se hace muy rápido	➡	
De modo claro	➡	
De modo sincero	➡	

b. ▶ Completa con los adverbios anteriores.

1. Está afectado ......*gravemente*......... desde el accidente.

2. El niño habló .... con sus profesores.

3. El profesor lo dijo ...., sin prisa, con mucha paciencia.

4. No me gusta ir con Marta porque conduce ....

5. Nosotros vamos al cine ...., casi todas las semanas.

6. Han respondido .... a todas las preguntas del examen.

7. Habló .... y todos creyeron en él.

8. No entiendo lo que dice porque no lo explica ....

Repasa las perífrasis verbales

▶ Completa con estas perífrasis.

acabar de   dejar de   empezar a   volver a

1. .... llegar a la oficina, pero no hay nadie.

2. El próximo lunes .... trabajar en la oficina de turismo.

3. El año pasado .... ir a clases de francés y he olvidado mucho. Creo que voy a .... empezar este curso.

Identifica cada parte de esta carta de presentación.

Lugar y fecha
Saludo
Presentación personal
Referencia al CV
Destacar cualidades
Despedida y disponibilidad
para reunión
Firma

Alberto Rojo
C/ Artistas, 86 3°. A
28040 Madrid

Alcalá de Henares, 20 de octubre de 201

Estimados señores:

Mi nombre es Alberto Rojo, soy licenciado en Turismo y cuento con 12 años de experiencia en el sector hotelero. Me dirijo a ustedes porque estoy muy interesado en trabajar en su hotel.

En mi CV pueden encontrar desarrollado tanto mi perfil académico como la experiencia laboral de la que les he hablado anteriormente. Tengo un nivel alto de español, inglés e italiano y soy muy responsable. Incluyo algunas referencias con las que pueden contactar si lo consideran oportuno.

Sin más, me despido y quedo a su disposición para concertar una reunión, conocernos personalmente y profundizar en los aspectos necesarios.

En espera de sus noticias, les saluda,

Alberto Rojo

Ahora, elige una de las ofertas o de los puestos de trabajo que han aparecido a lo largo de este módulo y escribe tu carta de presentación proponiendo tu candidatura.

Módul

12

Comunícate

En este módulo vamos a...

escribir un artículo en un *blog*.

Pasos

Paso 1: Prepárate e informa de tus hábitos en Internet.
Paso 2: Soluciona tus problemas y elige la mejor forma de comunicarte.
Paso 3: Simula una conversación telefónica.
Paso 4: Repasa y actúa y escribe un artículo en un *blog*.

Paso 1 Tus hábitos en Internet
Informa:

Habla de tus hábitos de comunicación

a. ▸ **¿Para qué usas normalmente estas formas de comunicarte? Relaciona.**

–Cuando estoy de viaje.

–Para hacer una reclamación.

–Para compartir noticias.

–Para invitar a un familiar o amigo a una fiesta o a una boda.

–Para enviar documentos oficiales (a empresas, a la universidad…).

–Para comunicarme con mis compañeros de trabajo o clientes.

–Para comunicarme con mis amigos.

–Para contar algo importante.

–Para felicitar un cumpleaños o aniversario.

El teléfono fijo o móvil

Los mensajes SMS

El fax

Las redes sociales

El correo postal o electrónico

b. ▸ **¿Qué características asocias con cada uno de los medios de comunicación anteriores? Compara tus ideas con las de tus compañeros.**

impersonal · antiguo · inútil · formal · lento · barato · rápido · divertido

personal · romántico · cómodo · práctico · caro · moderno

Para mí el teléfono es muy impersonal.

Para mí, no. Para mí, el correo electrónico sí es impersonal.

c. ▸ **Lee el texto y di si las afirmaciones son *verdaderas* o *falsas*.**

140 caracteres

Twitter se ha convertido en una de las redes sociales más importantes del mundo y cuenta con millones de usuarios en los cinco continentes. Las agencias de noticias tradicionales han dado paso a un nuevo modelo basado en Twitter en el que estar bien informado es mucho más sencillo, de hecho, es más probable enterarse de algún suceso importante por Twitter que por el periódico o por la televisión.

Además, Twitter ha facilitado el contacto entre los famosos y sus fans. Grandes actores y actrices, importantes cantantes y otros personajes públicos declaran su adicción a las redes sociales. Esto tiene sus peligros porque, en alguna ocasión, los famosos han cometido errores al actualizar su estado y los internautas se han reído de ellos.

El poder de Twitter es increíble, 140 caracteres pueden desencadenar corrientes de opinión capaces de desestabilizar gobiernos como se ha podido comprobar en el inicio de la segunda década del siglo XXI.

a. Twitter no es muy importante hoy en día, es una moda que ha pasado.

b. En la actualidad, para estar bien informado, hay que leer el periódico.

c. Los famosos prefieren las agencias de noticias tradicionales.

d. Twitter puede cambiar la situación de un país.

e. A veces, los fans se han reído de errores de los famosos en Twitter.

f. Las actrices prefieren Twitter, los cantantes, no.

V	F

2 Aprende a decir qué está pasando en este momento

a. ▸ Escucha, identifica la imagen y di lo que están haciendo.

Pista 45

Se está poniendo la corbata porque va a una entrevista de trabajo.

b. ▸ Observa los verbos que tienen el gerundio irregular y completa con *estar* + gerundio.

1. Luis, ¿(oír) .... las noticias?

2. No entiendo lo que (decir) ....
   Ricardo porque (hablar) .... y
   (reír) .... al mismo tiempo.

3. Mario (dormir) ...., creo
   que no se encuentra bien.

4. ¿Qué (leer) ...., Irene?

5. Enfrente de mi casa (construir) ....
   una biblioteca pública.

Gerundios irregulares	
Verbos que cambian **e** por **i**	decir > diciendo
	pedir > pidiendo
	reír > riendo
Verbos que cambian **o** por **u**	dormir > durmiendo
	morir > muriendo
	poder > pudiendo
Verbos que forman el gerundio en –**yendo**	ir > yendo
	leer > leyendo
	oír > oyendo
	construir > construyendo

3 Informa de tus hábitos en Internet

a. ▸ Rellena esta tabla con tus hábitos en Internet. Luego, compara y coméntala con tus compañeros.

	Varias veces al día	Una vez al día	Una vez por semana	A veces	Nunca
Leer el periódico					
Compartir en redes sociales					
Buscar información					
Consultar el correo electrónico					
Publicar fotos y/o vídeos					
Leer *blogs* que me interesan					

b. ▸ Elige el tipo de conexión y de tarifa más adecuado para ti y justifícalo.

	Internet móvil	Internet en tu móvil y en tu tablet	Teléfono fijo e Internet con tarifa plana	Prepago. Conexión con módem USB
Descripción	Tráfico: 200 MB Velocidad: 7 Mbps Exceso: 64 Kbps	Tráfico: 5% B Velocidad: 7,2 Mbps Exceso: 128 Kbps	Tráfico: Ilimitado Velocidad: 50 Mbps Exceso: -	Tráfico: 4 GB Velocidad: 7 Mbps Exceso: 128 Kbps
Precio	15 €/mes	24,99 €/mes	40 €/mes	39 €/mes

Leyenda: Mbps – Megabites por segundo / GB – Gigabyte / Kbps – Kilobit por segundo

Paso 2 Elige la forma
Soluciona: de comunicarte

Desenvuélvete en una conversación telefónica

Pista 46

a. ▸ Escucha estas llamadas telefónicas e identifica cada situación.

| a. No contestan. | b. No tiene cobertura. | c. Está, pero ocupada. | d. Habla con él. | e. No está. | f. Está comunicando. | g. Se ha equivocado. |

Pista 46

b. ▸ Escucha otra vez y anota los recursos que se usan en una conversación telefónica para completar esta tabla.

	Conversación informal	Conversación formal
Responder e iniciar la conversación	– ¿Diga? – .... –	– .... – Óptica General, dígame.
Preguntar por alguien	–	– .... – ¿Puedo hablar con la señorita González?
Responder afirmativamente	– Sí, soy yo. – Sí, un momento. Ahora se pone.	– Sí. Espere un momento, por favor. – Sí, ahora le paso.
Responder negativamente	– .... – Está ocupado.	– .... – Lo siento, ahora no está disponible.
Preguntar la identidad de quien llama	– .... – ¿De parte de quién?	– ¿Quién le llama? – ¿Quién le digo que ha llamado?
Decir la identidad de quien llama	– .... – De parte de Ana.	– Soy el señor Martín. – Le llamo del estudio de arquitectura.
Pedir o dar otra información	– ¿Va a volver pronto? – .... – Pues llamo más tarde.	– .... – ¿Le puedo dejar un recado?
Despedirse y terminar la conversación	– Gracias, hasta luego.	– De acuerdo. Muchas gracias.

c. ▸ Completa estas conversaciones telefónicas.

● La Caixa, buenos días, dígame.
■ Hola, ¿puedo hablar con Cristina Gutiérrez?
● Sí, ...
■ De parte de Javier, es importante.
● Un momento, por favor.
■ Gracias.

● ¿Diga?
■ Hola, Pedro, ¿está Laura?
● No, ha salido hace un rato.
■ Ah... ¿sabe si ....?
● Sí, sí. Ha ido a la panadería. Viene en seguida.
■ ....

● Inmobiliaria Sol, dígame.
■ ¿Puedo hablar con el director?
● Sí, ...
■ Muchas gracias.

● Buenos días. Tintorería Blanco, dígame.
■ Hola, buenos días. ¿.., García?
● Lo siento, ...
■ ¿..?
● Sí, claro.
■ Dígale me ha llegado el envío y que...

d. ▸ Simula una conversación telefónica con tu compañero.

2 — **Aprende a hablar de móviles**

▸ Lee los diálogos e intenta extraer el significado de las palabras marcadas por el contexto. Después, relaciona cada palabra con su definición.

- Yo tengo un `contrato` de 35 euros, pero creo que hay tarifas más baratas.
- ¡Ah! Yo es que no uso mucho el móvil y tengo una `tarjeta prepago`. Solo pago lo que consumo…

- Oye, ¿tú con qué `operador` tienes tu móvil?
- Yo con Movistar. ¿Por qué?
- Es que quiero un móvil nuevo, con Internet y con `pantalla táctil` y estoy pensando cambiar de operador para conseguirlo.

- Vaya, no tengo `cobertura` aquí dentro, y tengo que llamar.
- Si quieres, puedes usar el mío…, pero no mucho tiempo porque tengo muy poco `saldo`, creo que dos o tres euros…

Se paga por banco una cantidad de dinero fija.

Cantidad de dinero que tienes en tu tarjeta.

Cuenta en la que se paga por anticipado una cantidad de dinero que puede gastar.

Área geográfica en la que puedes llamar con tu móvil.

Puedes manejar el dispositivo electrónico sin botones.

Empresa de telefonía y/o de Internet.

3 — **Soluciona y elige la forma de comunicarte**

a. ▸ Observa las siguientes situaciones, elige el mejor medio para ponerte en contacto y explica tu decisión.

- Informar a tu familia de que han cambiado la hora del vuelo de regreso
- Enviar ropa y zapatos que no te caben en la maleta
- Enviar un regalo de cumpleaños a un amigo que vive en México
- Enviar la documentación necesaria para matricularte en la universidad

- Saludar a amigos o familiares desde el lugar donde estás de vacaciones
- Enviar tu portátil a reparar a la casa oficial
- Pedir ayuda desde el campo porque has tenido un accidente
- Pedir información sobre horarios de apertura de un museo

b. ▸ Clasifica estos recursos comunicativos en la situación adecuada y, después, elige una y representa, con un compañero, ese caso.

Buenas tardes. Dos sellos para Brasil y tres para Inglaterra, por favor.
¿Me puede pesar este paquete?
¿Tenéis Wi-Fi aquí?
¿Cuánto me cuesta enviar esta caja? Tiene que estar en Madrid mañana.
¿Me puede decir la diferencia de precio entre enviarla normal y urgente?
¿Me puedes dar la contraseña?
Quiero enviarla por correo certificado, por favor.

En el estanco	En una cafetería	En la oficina de Correos	En una empresa de mensajería

Paso 3 Conversación telefónica
Simula:

Aprende a describir y a hablar de costumbres en el pasado

Pista 47

a. ▸ Escucha esta conversación telefónica e identifica quién es Caroline. Para describirla, utilizamos el imperfecto. Completa la tabla.

1. 2. 3.

b. ▸ Completa estos otros fragmentos de la conversación de Caroline con la señora Gómez.

  a. Cuando tú (estar) ...., también (haber) .... una chica en la casa que (llamarse) .... Anaïs y también (hablar) .... español muy bien.
  b. Me acuerdo de que usted (cocinar) .... unas albóndigas buenísimas y que yo (decir) .... a mis compañeros que (estar, yo) .... en la casa de la mejor cocinera de España.
  c. (Gustar, a mí) .... el cuadro que (estar) .... en el comedor.
  d. ¿Recuerda usted al señor que (tener) .... el pelo corto y rubio, que (llevar) .... siempre una camiseta del Real Madrid y que (vivir) .... en Moscú?

PRETÉRITO IMPERFECTO			
	ESTUDIAR	TENER	DORMIR
(yo)			dormía
(tú, vos)	estudiabas	tenías	
(usted, él, ella)		tenía	
(nosotros, nosotras)	estudiábamos		dormíamos
(vosotros, vosotras)	estudiabais	teníais	
(ustedes, ellos, ellas)		tenían	dormían

Las formas de 1ª y de 3ª persona del singular son iguales.

Aprende a contar tus recuerdos

Pista 48

a. ▸ Escucha e identifica de qué están hablando.

b. ▸ Completa las frases con imperfecto.

  1. La habitación del hotel (ser) .... muy amplia y elegante.
  2. Durante nuestras vacaciones, todos los días (ir, nosotros) .... a dar un paseo por la playa.
  3. A principios del siglo xx, Madrid (ser) .... una ciudad más pequeña.
  4. (Ser, nosotros) .... un grupo bastante grande y siempre (ir) .... al cine los fines de semana y (ver) .... las novedades y los clásicos.
  5. En aquel restaurante, (ver, tú) .... a camareros vestidos con ropa típica.

PRETÉRITO IMPERFECTO VERBOS IRREGULARES			
	SER	IR	VER
(yo)	era	iba	veía
(tú, vos)	eras	ibas	veías
(usted, él, ella)	era	iba	veía
(nosotros, nosotras)	éramos	íbamos	veíamos
(vosotros, vosotras)	erais	ibais	veíais
(ustedes, ellos, ellas)	eran	iban	veían

3 Diferencia hechos de situaciones

a. ▸ Lee estos mensajes y marca en un color los verbos que hacen referencia a hechos y en otro color los verbos que presentan las situaciones en desarrollo.

¡Hola! ¿Qué tal las vacaciones? Yo ya estoy descansando, por fin, porque el mes pasado, mientras tú te bañabas en el mar Caribe yo hacía el último examen... ¡pero ya estoy de vacaciones! ¿Y sabes qué? Lo mejor de las vacaciones pasó ayer: cuando entrábamos en el restaurante, vimos a Rafa Nadal con su novia. Ellos miraban unas cosas en una tienda y yo le pedí un autógrafo y me hice una foto con él. Te la mando porque si no, no me vas a creer. Bueno, te escribo otro día con más tiempo. Un abrazo, Quique.

Hola, Merche, ¿Qué tal? Te escribo desde Italia porque me he acordado de ti durante estas vacaciones. Especialmente aquí en Roma porque cuando visitaba el Museo Vaticano, vi la pintura de Rafael que me explicaste. Es realmente impresionante.

No escuché tu mensaje porque estaba en la playa... pero vale, esta noche quedamos a las 21:00 para cenar. Hasta luego.

b. ▸ Completa con ejemplos de los mensajes anteriores.

Cuando/Mientras + imperfecto, imperfecto	**Cuando/Mientras** + imperfecto, perfecto simple
Ejemplo:	Ejemplo: ....

c. ▸ Subraya la opción adecuada.

a. Volvimos/Volvíamos a ese restaurante porque la comida estuvo/estaba buenísima.

b. Por las tardes, mientras los chicos jugaron/jugaban al fútbol en la playa, nosotras nos quedamos/quedábamos en la piscina del hotel tomando el sol.

c. Anoche, mientras prepararon/preparaban la cena, íbamos/fuimos a comprar unos helados para el postre.

d. Nosotros no íbamos/fuimos a ver la exposición de Miró y mientras ellos la vieron/veían, esperamos/esperábamos en una terraza.

e. Trabajé/Trabajaba todo el verano como socorrista en una piscina y, mientras todos se bañaron/bañaban, yo leí/leía o escuché/escuchaba música.

4 Simula: Cuenta una experiencia

a. ▸ Elige una de estas situaciones.

Hablas con un viejo amigo de la infancia.	Cuentas un viaje o una experiencia.	Explicas un mal servicio.	Resumes una reunión.

b. ▸ Escoge una forma de comunicarte.

 Teléfono   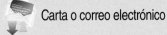 Carta o correo electrónico   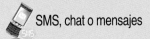 SMS, chat o mensajes

c. ▸ Simula y redacta el texto.

① Recuerda, amplía y practica el gerundio

▸ **Completa con *estar* + gerundio en la forma correcta.**

1. ● ¿Qué (hacer) .... María y Carlos?

   ● (Pedir) .... un plano en la oficina de turismo.

2. ● ¿Qué (construir) .... tu jefe ahora?

   ● Es una ampliación de las oficinas centrales.

3. ● ¿Escuchas cómo (reírse) .... los niños?

   ● Sí, (ver) .... unos dibujos animados en la tele.

4. Gabriel (ducharse) .... porque va a salir esta noche.

5. ● ¿Por qué está la luz del salón apagada?

   ● Porque Marcos (dormir) .... la siesta.

6. Rafa (peinarse) .... en el cuarto de baño de arriba, Ana (vestirse) .... en el cuarto de baño de abajo… ¡y yo necesito ducharme!

7. Los niños (divertirse) .... mucho esta tarde en la piscina, ¿verdad?

> **Gerundio de los verbos reflexivos**
> Hay dos opciones:
> a) El pronombre reflexivo antes del verbo *estar*.
>   Mamá se está pintando las uñas.
> b) El pronombre reflexivo después, junto al gerundio formando una palabra.
>   Mamá está pintándose las uñas.

② Repasa el vocabulario de los medios de comunicación

a. ▸ **Completa con estas palabras.**

fax   correo electrónico   teléfono   postal   móvil

1. ¿Has olvidado tu contraseña? Haz clic aquí para recibir un .... con tu nombre de usuario y contraseña.

2. No te preocupes, abuela, es verdad que es un viaje muy largo, pero te voy a enviar una .... cada semana.

3. Para darse de baja, tiene que enviarnos un .... con sus datos personales.

4. Antonio, ¿puedes decirme el .... del taller?
   Quiero saber si está listo el coche.

5. ¿Tu .... tiene conexión a Internet?

b. ▸ **Subraya la opción adecuada.**

1. ● Hola, ¿está Irene?

   ● Sí, un momento, ahora se pone/está ocupada.

2. ● Estudio de fotografía Martín, ¿dígame?/¿quién es?

3. ● Buenas tardes, ¿puedo hablar con el señor Recio?

   ● Sí, le paso, un momento/lo siento, pero paso.

4. ● Hola, ¿Raúl?

   ● No, lo siento, se ha equivocado/mañana vuelve.

5. ● No, en este momento no está, ¿le quiere dejar un recado?/¿le quiere devolver la llamada?

3   **Repasa, describe y cuenta costumbres del pasado**

a. ▸ Mira las fotos y descríbelas con detalle: cómo eran y cómo era la vida antes.

b. ▸ Fíjate en estas tres fotografías. Son tres fotos de José Luis, tomadas en tres momentos diferentes. ¿Puedes describirlas y compararlas? ¿En qué ha cambiado?

1960	1985	2007
14 años	39 años	61 años

¿Y tú? ¿Cómo eras físicamente cuando eras pequeño? Coméntalo con tu compañero.

Pues yo era...

> **Descripción de bebés y niños**
>
> Se usan expresiones como *gracioso, mono* o *bonito* cuando se describe a los bebés y a los niños como muestra de cariño.
> Cuando se describe a los niños, también se suelen usar los diminutivos de algunos adjetivos: *Pablo era bajito y gordito.*

Pista 49

c. ▸ Escucha a estas personas que, en una reunión familiar, están recordando algunas cosas del pasado y contesta las preguntas.

1. ¿Cómo celebraba el cumpleaños el padre cuando era pequeño? ¿Qué le regalaban normalmente por su cumpleaños?
2. ¿Qué hacía el abuelo en Navidad cuando era pequeño?
3. ¿Cómo viajaba la familia antes? ¿Dónde iban en verano?

4   **Repasa las diferencias entre los pretéritos**

▸ Subraya la opción adecuada al significado propuesto.

1. Cuando llegaba/llegué al aeropuerto, empezó a llover.
   (Primero llegó al aeropuerto, después empezó a llover)
2. Cuando compraba/compré las entradas para ver el museo, me llamó Luis.
   (Recibió la llamada después de comprar las entradas)
3. Preparaba/Preparé las maletas mientras Carlos compraba/compró los billetes.
   (Las dos acciones ocurren al mismo tiempo, simultáneamente)
4. Nos encontramos con las chicas cuando íbamos/fuimos a la agencia a recoger las entradas.
   (El encuentro se produjo en la calle)

Acción

Escribe la entrada de un *blog* contando tu último viaje.

- ¿Dónde fuiste?
- ¿Cómo era el lugar?
- ¿Qué solías hacer?
- ¿Cómo era el alojamiento?

Buscar

edelsa
GRUPO DIDASCALIA, S.A

Blog

EÑE que EÑE

Inicio   Agenda de los asesores   Catálogo ELE   Sala de profesores   ¿Quiénes somos?

TÍTULO:

LUGARES VISITADOS:

África
América
Asia
Europa
Oceanía

Lo + visto

Playa de Bata,
Guinea Ecuatorial

Isla Palawan,
Filipinas

Volcán Popocatepetl,
México

Sierra de Albarracín,
España

Territorio Norte,
Australia

Módulo 13

Organiza tus recuerdos y sensaciones

En este módulo vamos a...
conocer mejor a nuestros compañeros.

Pasos

Paso 1: Simula un reencuentro.
Paso 2: Prepárate e informa de una anécdota divertida.
Paso 3: Soluciona tus problemas y pon una denuncia.
Paso 4: Repasa y actúa, y organiza tus recuerdos.

Paso 1
Simula: Un reencuentro

1 **Ponte de acuerdo con las edades**

a. ▸ Observa las distintas etapas de la vida y escribe los años de cuando empieza y termina cada una. Luego, discútelo con tus compañeros.

De .... a .... años	De .... a .... años	De .... a .... años	De .... a .... años	De .... a .... años
La infancia	**La adolescencia**	**La juventud**	**La madurez**	**La vejez**
bebé	chico/a, muchacho/a	joven	adulto/a	señor/-a
niño/a, chico/a	adolescente		hombre, mujer	anciano/a

b. ▸ ¿Con qué etapa de la vida relacionas cada uno de estos objetos? ¿Por qué? ¿Coincides con tus compañeros?

4 El chupete

3 El biberón

5 El columpio

2 El bastón

16 El portátil

6 El juego de mesa

1 El balón de baloncesto

15 El chalé

17 El ciclomotor

21 La tableta

7 Los pantalones vaqueros

14 La entrada de cine y palomitas

18 El coche monovolumen

8 El móvil

20 Los billetes de avión

13 La consola de videojuegos

9 La petanca

19 El traje y la corbata

12 El banco en un parque

10 El sonajero

11 La entrada de concierto

2 **Aprende a hablar de tus recuerdos**

Pista 50 Escucha la conversación de estos amigos que se reencuentran después de unos años y marca qué acontecimientos corresponden a cada persona (H= él; M= ella).

- ☐ dejar la carrera
- ☐ dar la vuelta al mundo
- ☐ vender la moto
- ☐ abrir un negocio
- ☐ trabajar de fotógrafo

- ☐ ganar la lotería
- ☐ comprar una casa
- ☐ buscar trabajo en el extranjero
- ☐ trabajar en casa
- ☐ conocer a gente muy interesante

- ☐ casarse

3 **Recuerda los tres pasados que ya conoces**

a. ▶ Completa las explicaciones y recuerda el uso de los tres pasados.

`imperfecto`   `perfecto compuesto`   `cerca del momento actual`   `terminada`   `acciones simultáneas`   `perfecto simple`   `no terminada`   `hábitos`   `describir`

▶ El pretérito .... sirve para expresar una acción realizada en una unidad de tiempo .... *este año he tenido un niño*) o .... (*he llegado a casa hace diez minutos*). También se usa para expresar acciones terminadas sin especificar cuándo han ocurrido (*he viajado mucho por todo el mundo*).

▶ El pretérito .... sirve para expresar una acción realizada en una unidad de tiempo .... (*me casé hace tres años*).

▶ El pretérito .... sirve para hablar de .... en el pasado (*trabajaba todos los días de ocho a tres*), para .... en el pasado (*la casa era muy grande y tenía un jardín con piscina*) y para hablar de .... en el pasado (*mientras mis hermanos trabajaban, yo iba a la universidad*).

b. ▶ Marca lo que quieres decir y pon el verbo en la forma adecuada.

[Todos los días] [Esta mañana]   Carlos (llegar) tarde a clase de español.

[Nos vimos en el súper] [Nos vimos en la calle]   Nosotros (ir) al supermercado y (ver) a Sergio.

[En la ducha] [Al salir de la ducha]   Cuando (ducharse, yo) recibí tu sms para quedar.

[Durante el parto] [Después de nacer mi hijo]   Cuando mi mujer (dar) a luz, yo me desmayé.

[Solo una visita] [Con frecuencia]   Cuando vivíamos en Málaga, (ir) a Marbella.

[Ayer] [Los lunes y los miércoles]   (Tomar, nosotros) café antes de entrar en la oficina.

4 **Simula: Un reencuentro**

a. ▶ Marca cuáles de estos acontecimientos han ocurrido en tu vida y ordénalos cronológicamente.

- casarse
- acabar la carrera
- empezar la universidad
- mudarse
- comprar un coche
- alquilar

- tener hijos
- cambiar de trabajo
- abrir un negocio
- estudiar idiomas
- viajar al extranjero
- dejar el trabajo

- comenzar el colegio
- volver a mi país
- conocer a alguien especial
- terminar la secundaria
- hacer mi primer viaje al extranjero

b. ▶ Ahora, en parejas, simula un reencuentro con un amigo al que no ves desde hace mucho tiempo y os tenéis que poner al día de lo que ha pasado en vuestras vidas en los últimos años.

Paso 2 Informa: Una anécdota divertida

1 **Conoce el concepto de tiempo que tienen los españoles**

a. ▸ Escucha estos diálogos y responde.

Pista 51

1. ¿Cuándo se toma el aperitivo?
2. ¿Crees que el mediodía son las doce?
3. ¿Cuál es la hora de la siesta?
4. ¿Qué es la sobremesa?
5. ¿Cuál es la hora de comer?
6. ¿Qué crees que significa *madrugar*? ¿Y *trasnochar*?

b. ▸ Completa esta línea temporal colocando cada momento del día en su lugar correcto.

| 00:00 h | 03:00 h | 06:00 h | 09:00 h | 12:00 h | 15:00 h | 18:00 h | 21:00 h | 24:00 h |

a La madrugada **c** La hora del aperitivo **e** La hora del desayuno **g** La hora de comer **i** Mediodía

b Por la mañana **d** La hora de la siesta **f** Por la noche **h** Por la tarde

c. ▸ ¿Hay alguna diferencia con tu país o con algún país que conoces? Coméntalas.

d. ▸ ¿Cuándo sueles hacer estas actividades? Ubícalas en la línea temporal de arriba. Compara tus respuestas con tu compañero.

1 Desayunar   **4** Ducharse   **7** Tomar un café

2 Hacer la compra   **5** Ir al gimnasio   **8** Llegar a casa tarde después de una fiesta

3 Comer   **6** Tomar algo con los compañeros   **9** Acostarse

2 **Aprende a contar una anécdota y conoce el pretérito pluscuamperfecto**

a. ▸ Lee el texto, ponle un título y subraya el tiempo verbal nuevo. ¿Puedes explicar para qué se usa?

Mi primer viaje a España estuvo lleno de sorpresas y de anécdotas. ¿Sabes que los españoles discuten y se pelean por pagar en un bar? ¡Es de locos! Recuerdo que, después de tomar unas tapas en un bar, cuando pedí la cuenta, el camarero me dijo que ya había pagado mi amigo. Yo me pregunté cómo lo había hecho. Resulta que yo fui al servicio y, cuando volví, él ya había ido a la barra, había pedido la cuenta de nuestra mesa y había pagado.

Pero no solo me pasó esa anécdota. Con los horarios también hubo momentos curiosos. Un día, cuando fui a un supermercado a las 8:30, como voy en mi país, todavía no había abierto y otro día, cuando llegué al banco después de la comida, ya había cerrado y no abrían hasta el día siguiente. También me acuerdo de otro día que fui a comprar unos libros y unos regalos a las 16:30 y las tiendas todavía no habían abierto. O sea que al principio fue un poco complicado saber a qué hora podía hacer cada cosa. La verdad es que nunca antes había tenido este tipo de problemas con los horarios. Creo que España realmente es diferente.

b. ▶ Di si son *verdaderas* o *falsas* estas afirmaciones según el texto.

	V	F

1. Un amigo le invitó, pero no sabía cómo había pagado sin él darse cuenta.
2. En España los supermercados abren más temprano que en su país.
3. La librería donde quería comprar un libro estaba cerrada a las 16:30.

c. ▶ Completa la explicación con ejemplos del texto.

PRETÉRITO PLUSCUAMPERFECTO		
(yo)	había	comprado
(tú, vos)	habías	comido
(usted, él, ella)	había	vivido
(nosotros, nosotras)	habíamos	+ abierto
(vosotros, vosotras)	habíais	roto
(ustedes, ellos, ellas)	habían	escrito

El pretérito pluscuamperfecto sirve para hablar de un pasado anterior a otro pasado.

Ejemplo: ....

También se usa con el marcador *nunca antes* para hablar de una acción que no se había realizado antes de un momento pasado o presente.

Ejemplo: ....

d. ▶ Observa las ilustraciones y explica la situación.

Antes de comer tapas, había comido un bocadillo.

Estudiar español

....

Ver *La Guerra de las Galaxias*

....

Viajar a Madrid

2012   1995

....

Informa: Una anécdota divertida

a. ▶ Lee de nuevo el texto de la actividad 2 y marca los recursos que aparecen para contar la anécdota.

b. ▶ Ahora, cuenta una anécdota divertida que te ha ocurrido y/o de la que has aprendido algo. Utiliza alguna de las siguientes expresiones.

- **Para comenzar:** Pues resulta – Lo que me pasó fue que… – ¿Sabes que…? – Pues te cuento…

- **Para narrar acontecimientos:** Primero – Después – Además – También...

- **Para dar explicaciones:** Es decir – O sea – En otras palabras – Dicho de otro modo…

Paso 3 Pon una denuncia
Soluciona:

 Aprende a reaccionar en situaciones incómodas

Pista 52

a. ▸ **Escucha y señala de qué tipo de situación se trata. ¿Te ha ocurrido algo parecido alguna vez?**

| **a** Un malentendido o confusión | **b** Una pérdida | **c** Un mal servicio o mala atención |

b. ▸ **Relaciona estas situaciones con la reacción más lógica según tu opinión.**

El camarero tarda en servir la comida.	**1**
En una tienda, no quieren cambiar una prenda de ropa.	**2**
En una tienda, no tienen dinero en efectivo para dar cambio.	**3**
La publicidad no corresponde con los servicios.	**4**

| **a** Pues les voy a denunciar por publicidad engañosa. |
| **b** Bueno, yo tampoco tengo. Usted tiene que solucionarlo, ¿no? |
| **c** Quiero hablar con el encargado. Me dijeron que podía cambiarla y aquí tengo el tique. |
| **d** No la queremos ya. Queremos la hoja de reclamaciones, por favor. |

 Conoce la forma de contar un suceso

▸ **Observa el cuadro y coloca los ejemplos en el correo electrónico.**

***Estar* (en pasado) + gerundio**
Acción larga o repetida y realizada cerca del presente. *He estado denunciando el robo toda la mañana.*
Acción larga o repetida y realizada en un tiempo terminado. *Toda la tarde de ayer estuve buscando la cartera por toda la casa.*
Acción larga o repetida y realizada en el momento que ocurre otra acción. *Cuando estaba nadando en la piscina, alguien me robó las cosas.*

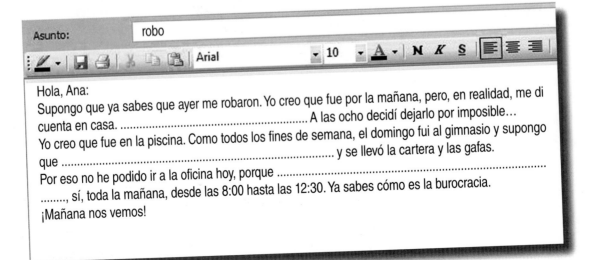

Asunto: robo

Hola, Ana:
Supongo que ya sabes que ayer me robaron. Yo creo que fue por la mañana, pero, en realidad, me di cuenta en casa. .... A las ocho decidí dejarlo por imposible…
Yo creo que fue en la piscina. Como todos los fines de semana, el domingo fui al gimnasio y supongo que .... y se llevó la cartera y las gafas.
Por eso no he podido ir a la oficina hoy, porque ....
........, sí, toda la mañana, desde las 8:00 hasta las 12:30. Ya sabes cómo es la burocracia.
¡Mañana nos vemos!

Soluciona: Pon una denuncia

3

a. ▸ Observa estas ilustraciones y elige una. Describe qué ocurre.
   ▸ Imagina que eres tú quien ha tenido el problema.

b. ▸ Rellena este formulario en línea para hacer una denuncia.

Policía municipal   Denuncia por Internet

Tipo de denuncia

Robo de dinero y objetos ☑   Robo en vivienda o comercio ☐
Pérdida de objetos ☐   Robo en interior de vehículo ☐
Pérdida de documentos ☐   Robo de vehículo (moto, coche) ☐

Persona denunciante

Nombre: _____   Apellidos: _____
Sexo: Hombre ☐ Mujer ☐   Nacionalidad: _____
País: _____ Ciudad: _____   Fecha: _____
Documento de identidad
DNI ☐   Número: _____
Tipo: Pasaporte ☐
Nombre del padre: _____   Nombre de la madre: _____

Dirección habitual   Código postal: _____
Dirección: _____
Ciudad: _____ País: _____   Teléfono: _____

Dirección actual   Código postal: _____
Dirección: _____
Ciudad: _____ País: _____   Teléfono: _____

Hechos

Fecha: _____ Hora: _____ Lugar: _____
Circunstancias: Conocidas ☐ Desconocidas ☐
Descripción

_____

Daños / Objetos robados

_____

Paso 4 Organiza tus recuerdos
Repasa y actúa:

1 **Repasa el vocabulario de las etapas de la vida**

a. ▸ **Rellena con estas palabras.**

bebé   adolescentes   jóvenes   hombre   señor

1. Soy profesor de secundaria y es muy difícil dar clase a los .... porque están en una etapa muy difícil, de muchos cambios.

2. Ayer hablé con un .... muy interesante que vivió la Guerra Civil española.

3. Antonio Banderas tiene más de cincuenta años, pero sigue siendo un .... muy atractivo.

4. Mi hermana ha tenido una niña. Es un .... precioso.

5. En mi clase de español había muchos .... de muchos países diferentes que tenían entre 20 y 30 años.

b. ▸ **Escribe una definición para estas palabras o escribe las palabras para estas definiciones, según corresponda.**

	← → juego que se practica con bolas en la playa o en el parque.
ciclomotor	← → ....
chupete	← → ....
	← → recipiente que usan los bebés para beber leche, agua…
	← → vehículo con siete plazas o más.

2 **Repasa los pasados**

a. ▸ **Elige el marcador temporal y completa con pretérito perfecto simple o compuesto según tu elección.**

Anoche
Esta semana
Últimamente
El martes
El verano pasado
Hace un rato

1. (recorrer) .... Andalucía en coche con unos amigos.
2. (llegar) .... mi compañera a la oficina con muy mala cara.
3. no (ver, nosotros) .... la televisión.
4. ellos (trabajar) ....demasiado por el proyecto de los italianos.
5. (ver) .... la última película de Pedro Almodóvar.
6. Marta y yo (ir).. a un bar de tapas nuevo que está junto al teatro.

b. ▸ **Cuenta con imperfecto o perfecto simple esta historia.**

1 El jueves (pasar) una cosa increíble.

2 (Estar) en el aeropuerto de Madrid, Barajas,…

3 … y mi vuelo (salir) a las 20:20 horas.

4 Mientras (esperar) en la puerta 24J…

5 … (avisar) de que el vuelo (ir) a salir desde la 14K…

6 Y todos (empezar) a cambiar de puerta corriendo.

7 Pero cuando (llegar) a la 14K (decir) que (ser) un error…

8 … y que (tener) que volver a la 24J, que (ser) la puerta correcta.

9 Otra vez todos (correr) por los interminables pasillos hasta la 24J…

10 … y allí (haber) otro cambio: el vuelo (ir) a salir a las 21:30.

11 Todos (enfadarse) muchísimo, pero no (haber) nadie de la compañía con quien hablar.

12 Claro, son los riesgos de un viaje que (costar) 18 euros ida y vuelta.

c. ▶ Completa estos diálogos con los verbos en la forma adecuada.

- ¿........................ el último disco de Iván Ferreiro?
- Creo que ayer, cuando .... en el bar, ... una canción.
- Yo lo .... el sábado y me gusta mucho, pero todavía no lo .... mucho.

comprar   escuchar (2)   estar   poner

- Anoche .... preparar gazpacho para la cena, pero .... un desastre.
- ¿Qué ....?
- Pues que cuando .... a hacerlo .... de que no .... aceite de oliva y las tiendas .... cerradas.
- ¿Y qué ....?
- Un zumo de tomate y unas «pizzas»... ja, ja, ja.

acordarse   ser   estar   pasar
empezar   tener   intentar   hacer

3 Repasa el pluscuamperfecto

▶ Lee y completa.

En el momento...	... y antes.
Es la primera vez que pruebo el jamón ibérico. →	Nunca antes .... el jamón ibérico.
Estoy muy cansado porque me acosté tarde. →	Estaba cansado porque .... tarde.
No te puedo llamar porque he olvidado el móvil en casa. →	No le pudo llamar porque .... el móvil en casa.
Ya he terminado el curso y mañana me voy. →	Se iba de viaje porque .... el curso.
No está en la oficina hoy, se fue de vacaciones la semana pasada. →	No trabajaba ese día porque .... de vacaciones la semana anterior.

4 Repasa *estar* (en pasado) + gerundio

▶ Lee y di si estas afirmaciones son *verdaderas* o *falsas*.

Publicado: Mar Oct 25, 2011 2:18 am

Laura escribió:

Ayer, por la tarde, estuve ordenando y renombrando las fotos de mi último viaje. Lo tenía pendiente desde hacía mucho tiempo, unos dos meses, por lo menos. Empecé, después de comer, mientras tomaba un café. Estuve clasificando las fotos en diferentes carpetas y estaba muy contenta porque llevaba el trabajo muy avanzado. Sin embargo, surgió un problema con el ordenador. Se escuchó un chasquido en su interior y se apagó. Creí que me daba algo. Intenté arrancar el ordenador en varias ocasiones, pero seguía sin funcionar. No he podido dormir bien con el disgusto, durante toda la mañana he estado pensando en llevar el ordenador a repararlo, pero no sé si podrán recuperar mis fotos. ¿Alguien puede aconsejarme algún lugar barato para llevar el ordenador?

Muchas gracias,
Laura :-*

1. Siempre ordena sus fotos nada más llegar del viaje.
2. Llevaba trabajando un rato cuando el ordenador se estropeó.
3. Laura llevaba durmiendo toda la noche cuando se despertó.
4. Laura borró todas sus fotos del ordenador.
5. No quiere llevar el ordenador a reparar.
6. Laura quiere comprar un ordenador barato.

Acción

Organiza tus recuerdos

Conocer a las personas es conocer sus gustos, sus aficiones, sus intereses…, pero también conocer sus experiencias, su pasado. Completa este cuestionario, comenta con tus compañeros los resultados y busca similitudes.

TusRecuerdos

¿Recuerdas la última vez que pasaste mucho miedo?

¿Cuál ha sido el momento en el que has sentido más vergüenza?

¿Cuál es la comida más extraña que has probado?

¿Te acuerdas del primer libro que te impactó?

¿En qué continentes has estado?

Escribe una pregunta para tu compañero de la derecha.

¿Cómo fue tu primera clase de español?

¿Has llorado alguna vez en el cine?

SÍ ☐   NO ☐

Módulo 14

Programa tu futuro

En este módulo vamos a...

organizar una excursión para aprovechar un fin de semana libre.

Pasos

Paso 1: Soluciona tus problemas y adelántate a los posibles imprevistos de un viaje.
Paso 2: Prepárate e informa y haz recomendaciones sobre qué hacer durante un viaje.
Paso 3: Simula y comenta una pintura.
Paso 4: Repasa y actúa, y organiza una excursión para aprovechar un fin de semana libre.

Una película:
La piel que habito
(Pedro Almodóvar)

Un monumento:
La Sagrada Familia
(Gaudí)

Un concierto:
Alejandro Sanz

Una escultura:
El peine de los vientos
(Eduardo Chillida)

Un cuadro:
La persistencia de la memoria
(Salvador Dalí)

Un cuadro:
Las Meninas
(Velázquez)

Paso 1 Adelántate a los imprevistos
Soluciona:

1 Conoce el vocabulario de tu curso de español

a. ▸ Lee esta carta, completa el formulario de inscripción con las palabras del cuadro y rellena los datos que faltan.

Estimados señores:

Me llamo Alesya Dmytrovska, tengo 19 años, vivo en Moscú (Rusia) y quiero hacer un curso de español de un mes en su escuela, entre el 8 de marzo y el 2 de abril. Tengo un nivel avanzado de español, porque lo he estudiado en el Instituto Cervantes de Moscú en el nivel B2, y ahora quiero mejorar mi español y conocer la cultura española bien. Por ello, me interesa un curso intensivo de 20 horas a la semana.

Necesito saber el precio de este curso y si es posible tener turno de mañana, porque por las tardes quiero visitar la ciudad y hacer actividades culturales.

También tengo algunas preguntas sobre las actividades extraescolares: me interesa mucho el flamenco y quiero saber si hay clases para aprender a bailar flamenco o si se puede ir a espectáculos de flamenco en la ciudad y si organizan excursiones a otras ciudades.

Muchas gracias,

Alesya

b. ▸ **¿Has estado en el extranjero estudiando idiomas? ¿Qué actividades crees que son más interesantes en un viaje de estudios? ¿Por qué?**

Horario	Actividades extraescolares
Nivel de lengua	Tipo de curso

1. Datos personales

Nombre ....

Apellidos ....

Edad ....

Nacionalidad...

2. ....

Intensivo	Extensivo
☐ 20 horas semanales	☐ 12 horas mensuales
☐ 30 horas semanales	☐ 15 horas mensuales

3. ....

☐ Mañana

☐ Tarde

4. ....

☐ A1 ☐ A2 ☐ B1 ☐ B2 ☐ C1 ☐ C2

5. .... **de interés**

☐ Clases de baile	☐ Clases de cocina
☐ Deporte y juegos	☐ Ruta de tapas
☐ Espectáculos de música	☐ Cine en español

☐ Visitas a museos, exposiciones y monumentos

☐ Excursiones a ciudades cercanas

2 Aprende el futuro simple

a. ▸ Lee y clasifica las formas del futuro simple en el cuadro. Luego, complétalo.

FUTURO SIMPLE			
	VIAJAR	VER	IR
(yo)	viajaré		
(tú, vos)		verás	irás
(usted, él, ella)	viajará		
(nosotros, nosotras)		veremos	
(vosotros, vosotras)	viajaréis	veréis	iréis
(ustedes, ellos, ellas)		verán	irán

• Caroline, el próximo fin de semana Silvia y yo viajaremos a Sierra Nevada con la excursión organizada de la escuela. ¿Te vas a venir?

• No, es que van a venir mis padres a verme y supongo que iremos a ver la Alhambra y veremos algún espectáculo de flamenco. Pero creo que Christina irá también a Sierra Nevada.

• No, ya verás como no. Como le gusta mucho el arte, verá la exposición de esculturas de ese artista colombiano.

• Ah, sí, es verdad. Lo he visto en el tablón de anuncios de la escuela.

b. ▶ Completa y relaciona.

Para mi cumpleaños (intentar) .... preparar una tortilla de patata…

Creo que el fin de semana mis compañeros y yo (subir) .... a la montaña…

El domingo (volver) .... ya a mi país…

Mónica (cambiar) .... su clase del martes por la mañana…

El viernes por la tarde los chicos de clase y yo (quedar) .... con otros chicos españoles…

… así que (ir) al centro y (comprar) .... algunos regalos para mi familia.

… para acompañarme al médico. Es que no quiero ir solo.

… porque la próxima semana (asistir) .... a una clase de cocina en la escuela.

… y (jugar) .... un partido de fútbol.

… y (esquiar) .... Creo que la montaña se llama Navacerrada.

  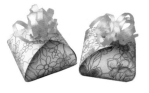 

c. ▶ Forma estos verbos irregulares.

Pierden la -e-	
Caber	cabréis
Querer	querréis
Saber	
Haber	
Poder	

Cambian la vocal por una -d-	
Salir	saldré
Valer	valdré
Poner	
Tener	
Venir	

Pierden letras de la raíz	
Hacer	haré
Decir	

3 ## Soluciona: Adelántate a los posibles imprevistos

▶ Los primeros días en un país nuevo suelen ser un poco difíciles. Para llevar mejor el proceso de adaptación, piensa cómo resolver los problemas antes de que ocurran.

¿Qué harás si...

✓… te cuesta comunicarte porque no entiendes bien el idioma?

✓… no funciona tu tarjeta de crédito en ese país?

✓… crees que no estás en la clase más apropiada para ti?

✓… no puedes realizar llamadas con tu móvil?

✓… no conoces a nadie durante los primeros días?

✓… no tienes moneda local?

✓… no te gustan tus compañeros de piso?

✓… te pierden la maleta?

Expresar condición

Si + presente, futuro

Si me **pierden** la maleta durante el vuelo, **pondré** una reclamación en el aeropuerto.
Si **estudio** mucho, **mejorará** mi español rápidamente.

Paso 2
Informa:

Haz recomendaciones

1 Conoce las palabras y expresiones sobre el tiempo libre

a. ▸ Clasifica las palabras señaladas en categorías. Luego, responde a las preguntas.

Pizza **y fútbol.** Sábado a las 22:00 en el bar Caracol, partido Real Madrid-Barcelona: una *pizza* y una bebida por 10 €.

Cortos. Proyección de los cortometrajes ganadores del Festival de Cine de Málaga. Todos los viernes de este mes en el Centro de Arte Moderno.

Noche argentina en el restaurante El 10. Mate, parrillada, dulces y tango en directo. Entrada: 24 €.

Artesanía. Mercado de artesanía boliviana. Solo este fin de semana. Degustación de platos típicos. De 10:00 a 20:00.

Exposición. Antonio López en el Museo Nacional. Las mejores pinturas del gran artista se podrán ver desde el martes 12 durante 6 meses.

Clases de salsa. Martes y jueves de 19:00 a 20:00, en el café Son cubano con el bailarín profesional Riqui.

Música clásica. Concierto de la orquesta municipal. Homenaje a Falla. Auditorio Municipal. Domingo a las 20:30.

Almodóvar. Las mejores películas del director en un ciclo excepcional. Del 11 al 25 de este mes. Bono de 5 películas, 25 €. Cine Real.

Ciclismo. Llegada de la 3.ª etapa de la Vuelta ciclista. Miércoles a las 17:00 en el Paseo del Parque. Actividades, juegos y regalos.

Teatro. La obra «El asesino de la gramática» llega a la ciudad. Comedia dirigida por José Ramón Rubio. Entre 25 y 80 €. En el Teatro Cervantes hasta mayo.

Cuentacuentos en la tetería El Harén. Miércoles a las 20:00. Entrada 5 € (una consumición incluida).

MÚSICA Y BAILE	CINE Y TEATRO	DEPORTE Y AVENTURA	ARTE Y LITERATURA	FOLCLORE Y GASTRONOMÍA

1. ▸ ¿Qué actividades hay para los aficionados a ver deporte?
2. ▸ ¿Qué actividades hay para los interesados en la cultura latinoamericana?
3. ▸ ¿Dónde podemos ir para ver fútbol español?
4. ▸ ¿Qué propuestas hay para pasar una tarde tranquila con amigos o en pareja?

b. ▸ Estás en un país hispano. Elige las actividades que prefieres según una de las tres situaciones siguientes.

1 Quieres aprender español.

2 Estás de turismo, de vacaciones.

3 Tienes tiempo libre después de unas reuniones de trabajo

2 Conoce el imperativo negativo

a. ▸ Lee y di qué debes y no debes hacer si vas a un espectáculo flamenco y no quieres «parecer turista».

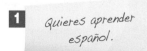
Aplaudir   Decir «¡Olé!»   Tocar las palmas   Permanecer en silencio   Levantarse de la silla

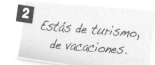
Cantar con los cantaores   Hacer fotos

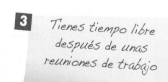

Aprender a sentir el flamenco

El flamenco es uno de los rasgos más reconocibles de España. Es la música que la identifica en todo el mundo. Pero el flamenco no es solo un atractivo turístico: es una cultura, una forma de ver el mundo, de expresar los sentimientos. Asistir a un espectáculo flamenco es tal vez una de esas actividades típicas que los extranjeros no se quieren perder cuando visitan España. En Málaga, aprendí cómo presenciar un espectáculo flamenco respetando los tiempos, y la cultura de la música y el baile. Aquí tienes algunos consejos:

1. No hables cuando empieza a sonar la guitarra. Es el principio del espectáculo y a partir de entonces, silencio y atención.
2. No entres a la sala cuando ha comenzado un cante porque interrumpirás la concentración y la magia del momento.
3. No hagas ruido al comer o beber en tu mesa mientras dura una actuación.
4. Es preferible decir «¡Olé!» que dar un aplauso fuera de tiempo.
5. No aplaudas entre un cante y otro si la guitarra continúa tocando.
6. No seas el primero en aplaudir. Espera a que otros más conocedores lo hagan.
7. No estés quieto como una estatua, intenta seguir el ritmo del cante.
8. Entra en la cultura del flamenco con los ojos y los oídos bien abiertos para aprender y sentir.
9. Disfruta.

Adaptado de www.diariodelviajero.com

b. ▶ **Vuelve a leer el texto y observa cómo se forma el imperativo negativo. Completa la tabla.**

	GRITAR	CANTAR	PENSAR	COMER	HACER
(tú)	no grites				
(usted)	no grite			no coma	
(vosotros, vosotras)	no gritéis				no hagáis
(ustedes)	no griten		no piensen		

	PONER	ESCRIBIR	IR	MENTIR	VENIR
(tú)					no vengas
(usted)				no mienta	
(vosotros, vosotras)		no escribáis			
(ustedes)	no pongan		no vayan		

Atención

Imperativo afirmativo
(usted y ustedes) =
Imperativo negativo
(usted y ustedes)

c. ▶ **Completa estos diálogos.**

1
● Carlos, te recojo a las 20:00 para ir al teatro.
● No, no (venir) .... porque estoy en la cama, tengo fiebre y no me encuentro muy bien.

2
● Pero, Amalia, no (ponerse) .... ese jersey para ir al parque de atracciones, hace mucho calor...
● Mamá, no me (decir) .... siempre lo que tengo que hacer. Yo sé que hace calor, pero por la noche seguramente refrescará.

3
● Vamos a hacer el viaje a Italia en julio. Nos cuestan los billetes 290 euros.
● ¿Estás loco? No (pagar) .... tanto. Yo conozco una página web con vuelos más baratos.

4
● No (hacer, tú) .... la reserva para el restaurante, yo llamaré luego.

3 — Informa: Haz recomendaciones

▶ **¿Qué es lo más recomendable y qué no para aprovechar al máximo tu viaje y conocer la cultura del país que visitas? Redacta tus listas.**

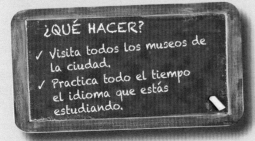

¿QUÉ HACER?
✓ Visita todos los museos de la ciudad.
✓ Practica todo el tiempo el idioma que estás estudiando.

¿QUÉ NO HACER?
✓ No te relaciones solo con extranjeros.
✓ No comas en restaurantes de comida rápida.

Paso 3

Simula: Comenta una pintura

 Conoce el vocabulario del arte

a. ▸ Se conoce al cine como «el séptimo arte», pero ¿cuáles son las otras seis?
Relaciona las imágenes con su expresión artística.

☐ **Arquitectura**   ☐ **Pintura**   ☐ **Literatura**   ☐ **Escultura**   ☐ **Danza**   ☐ **Música**

b. ▸ Completa este mapa con las palabras de la izquierda.

estatua   castillo
concierto   pintor
novela
coreografía
poesía   actor
edificio
arquitecto
escritor
escultor   película
canción   cuadro
orquesta

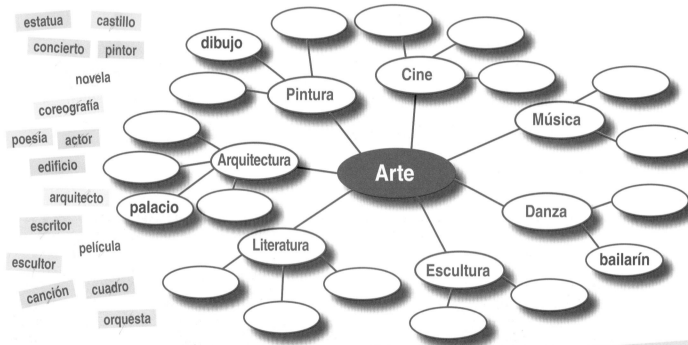

c. ▸ Completa con las palabras del esquema de la actividad anterior.

ES PROBABLEMENTE LA .... MÁS FAMOSA DEL .... MIGUEL ÁNGEL BUONARROTI.

En el estreno de la .... estuvieron el director y el .... principal, Antonio Banderas.

El .... catalán Antonio Gaudí diseñó el.............. modernista más famoso de España.

El .... de Juan Luis Guerra terminó con la .... Ojalá que llueva café, su tema más conocido.

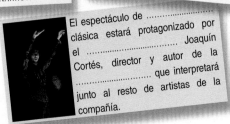

El espectáculo de .... clásica estará protagonizado por el .... Joaquín Cortés, director y autor de la .... que interpretará junto al resto de artistas de la compañía.

Esta.............. fue publicada originalmente en 1967 y tras el boom de la .... latinoamericana se convirtió en una obra clásica.

Este .... lo realizó Pablo Picasso como preparación para el .... Las señoritas de Aviñón que ahora está en Nueva York.

148 ciento cuarenta y ocho

2 Haz conjeturas

a. ▸ Lee la hipótesis que hace un chico en el Museo del Prado de Madrid ante esta pintura de Goya y completa la explicación.

- Uy, esta pintura me da miedo…
- Bueno, el personaje con barba será Saturno, el dios, y la figura pequeña que no tiene cabeza será su hijo. En la imagen y en el título Saturno se está comiendo a su hijo. La pintura representará el mito griego clásico.

> **EXPRESAR HIPÓTESIS**
> Cuando quiero hacer una conjetura sobre algo del presente, uso el
> _____.
> Por ejemplo, «Está pintura será de Velázquez» significa lo mismo que «No estoy seguro, pero creo que, posiblemente, esta pintura es de Velázquez». En este caso el futuro imperfecto no significa futuro sino presente posible, no seguro.

b. ▸ Completa.

1
- Esta escultura es parecida a una que vi en Bilbao.
- (Ser) .... del mismo artista.

2
- Mi hermana y yo (ir).. a ver la exposición el sábado, ¿vienes con nosotras?
- No sé porque supongo que mi madre (celebrar).. su cumpleaños.

3
- ¿Qué vas a hacer el viernes por la noche?
- Pues no estoy segura, (comprar)............................... unas *pizzas* y (ver)............................... el partido en casa.

4
Esta noche es la entrega de los Óscar, ¿(ganar).. otra vez Javier Bardem?

3 Simula: Comenta una pintura

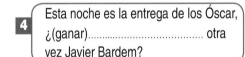

a. ▸ Tu compañero y tú estáis en una exposición sobre los grandes pintores españoles y latinoamericanos. Comenta con él qué opinas de cada uno de ellos y haz hipótesis sobre lo que crees que quiere transmitir el pintor.

Guernica
(Pablo Picasso)

La persistencia de la memoria
(Salvador Dalí)

La Gioconda
(Fernando Botero)

El tiempo vuela
(Frida Kahlo)

Pista 53

b. ▸ Escucha la explicación que hacen estos especialistas de las obras anteriores para saber si coinciden con tus hipótesis. Señala cuál de las interpretaciones es la que explican estos críticos de arte.

Guernica (Picasso)
- a. Es una pintura histórica.
- b. Es un experimento de imágenes desordenadas sin sentido.

La Gioconda (Botero)
- a. Es un homenaje a Leonardo da Vinci.
- b. Es una parodia a Leonardo da Vinci.

La persistencia de la memoria (Dalí)
- a. Los relojes están blandos, como el queso, por el paso del tiempo.
- b. Los objetos están perdidos en un desierto como las personas están perdidas en el mundo.

El tiempo vuela (Frida Kahlo)
- a. Es un juego de palabras e imágenes.
- b. Es una crítica a la sociedad moderna.

Paso 4 Organiza actividades
Repasa y actúa:

1

a. ▶ **¿Puedes ayudar a estas personas que están pensando en viajar? Completa.**

| comprar | ver | subir | alquilar | probar | viajar | comer | visitar |

1. Si voy de vacaciones a México, ... a las pirámides de El Sol y La Luna, en Teotihuacán, ... el Museo Antropológico y .... las quesadillas.
2. Si consigo la beca para estudiar un semestre en Argentina, ... un partido de fútbol en el estadio de La Bombonera.
3. Si ganamos el viaje a Perú en el concurso de televisión, ... cebiche y muchos dulces y .... un jersey de lana de llama.
4. Si ahorro dinero suficiente para viajar a España, ... un coche para recorrer Andalucía y .... en tren hasta el norte para probar la comida del País Vasco y de Galicia.

b. ▶ **Explica las actividades que podrá hacer o los lugares que podrá visitar un turista si viaja a tu ciudad o a tu región.**

c. ▶ **Señala el intruso.**
1. Actor, novela, escritor, poesía.
2. Pintor, canción, museo, cuadro.
3. Bailarín, musical, coreografía, escultor.
4. Concierto, estatua, escultor, monumento.

d. ▶ **Contesta.**
1. ¿Sueles ir a muchos conciertos? ¿Cuál ha sido el mejor?
2. ¿Cuál es tu actor favorito y por qué?
3. ¿Qué actividad prefieres: ir a un museo, ir a un concierto, ir a un recital de poesía o ir a un musical?

2

Repasa el imperativo negativo

a. ▶ **Completa y di dónde podrías leer estas recomendaciones.**

1. No (salir)........................... después de oír el toque de silbato.	En el teatro
2. ¡Cuidado!, no (ingerir) .... este producto. Es altamente peligroso.	En la publicidad de una medicina
3. No (dejar)................................ este medicamento al alcance de los niños.	En un bar
4. No (tener) .... encendidos los móviles durante la representación.	En un detergente
5. No (utilizar) .... este baño, está estropeado.	En un tren

b. ▸ Escribe el imperativo negativo de estos verbos.

usted			vosotros	
cerrar		aparcar		
dormir	*no duerma*	jugar		
pedir		conducir		
poner		salir		*no salgáis*

Repasa la expresión de probabilidad e hipótesis

a. ▸ Haz hipótesis. ¿Qué crees que pasa en cada situación?

b. ▸ Escucha y plantea una hipótesis sobre la situación que ocurre.

Pista 54

1. Llegará el tren con retraso o no estarán en la vía correcta.

2. ....

3. ....

4. ....

Acción

1 Adónde iremos

A la montaña

A los pueblos

Valderrobres

A la costa

Costa da Morte (Galicia)

A las ciudades

Salamanca

2 Qué tiempo tendremos

- Si vamos en invierno...
- Si vamos en verano...

3 Cómo vamos

- Si vamos en autobús...
- Si vamos en coche...
- Si vamos en tren...

4 Qué haremos

- Actividades imprescindibles:
- Otras opciones posibles.

De cine

De compras

De museos

De tapas

De concierto

De descanso

5 Prever los posibles imprevistos

6 Recomendaciones

- Qué llevar y qué no.
- Qué documentos, dinero, etc., son necesarios y cuáles no.

Módulo
15
Cultiva tus relaciones sociales

En este módulo vamos a...
invitar a un amigo español o hispano a una celebración

Pasos

Paso 1: Prepárate e informa sobre tu próximo cumpleaños.
Paso 2: Soluciona tus problemas y expresa tus mejores deseos.
Paso 3: Simula y sé tú mismo en otra cultura.
Paso 4: Repasa y actúa, e invita a un amigo a una celebración.

Paso **1** Tu próximo cumpleaños
Informa:

Conoce el vocabulario de las celebraciones sociales

a. ▸ Escucha y marca las celebraciones de las que hablan.

Pista 55

CUMPLEAÑOS		ANIVERSARIO		INAUGURACIÓN
DESPEDIDA DE SOLTERO	BODA	FIESTA DE BIENVENIDA		BAUTIZO

b. ▸ Relaciona estas palabras de las dos actividades con las celebraciones anteriores.

Los invitados

La tarta

El brindis
La invitación

Los globos

Los fuegos artificiales

Las velas

Los regalos

El discurso

c. ▸ Completa estos diálogos con las palabras de las dos actividades anteriores.

1
- ¿Has recibido la .... para la boda?
- Sí. Creo que va a haber una .... de tres pisos de chocolate blanco y fresas.

2
- ¿Qué tal estuvo el .... de la hija de Ana?
- Muy bien. La niña iba preciosa con un vestido blanco y no lloró nada. Solo éramos unos pocos ...., la familia y los amigos íntimos.

3
- El sábado estuvimos en el .... de Ángel.
- ¿Y qué tal?
- Genial. Los niños lo pasaron muy bien. Ya sabes, ... en la tarta y muchos .... de todos los colores.

Aprende a hacer propuestas y descubre el condicional

a. ▸ Lee este *e-mail* sobre la preparación de una fiesta sorpresa, marca el tiempo verbal que se usa para hacer propuestas y sugerencias y completa las tablas.

De: José
Para: Miguel
Asunto: Fiesta sorpresa Belén

Hola, Miguel.
Mira, estamos preparando una fiesta sorpresa para la despedida de Belén, que se va a estudiar a Inglaterra, ya sabes.
Sería divertido estar todos los compañeros de la clase y sus amigas. Pero deberíamos organizarnos porque falta poco tiempo y estaría bien tenerlo todo preparado antes del fin de semana.
A ver qué te parece lo que hemos hablado: mañana iría a tu casa, porque deberíamos preparar la lista de todo lo que necesitamos, y después lo compraríamos en el centro comercial de tu barrio y, mientras, las chicas empezarían a preparar la decoración.
Bueno, dime qué te parece.
Un abrazo. Nos vemos mañana en clase.
José

	SER	ESTAR	IR
(yo)	sería	estaría	
(tú, vos)	serías	estarías	irías
(usted, él, ella)			iría

	DEBER	COMPRAR	EMPEZAR
(nosotros/as)			empezaríamos
(vosotros/as)	deberíais	compraríais	empezaríais
(ustedes, ellos/as)	deberían	comprarían	

CONDICIONAL	
(yo)	+
(tú, vos)	+ ías
(usted, él, ella)	infinitivo +
(nosotros/as)	+
(vosotros/as)	+ íais
(ustedes, ellos/as)	+

b. ▸ **Relaciona los infinitivos con la forma de los verbos irregulares en condicional y completa la respuesta al e-mail anterior.**

saber	haría
poder	valdría
hacer	querría
salir	diría
venir	podría
haber	saldría
valer	sabría
caber	pondría
querer	tendría
decir	cabría
poner	habría
tener	vendría

De: Miguel
Para: José
Asunto: Fiesta sorpresa Belén

Hola, José.
Me parece una idea genial.
A ver, mañana tengo libre, así que podemos hacer lo que dices..., pero para adelantar te comento algunas cosas que he pensado: .... hacer una fiesta de disfraces temática, ¿qué piensas? .... juegos, prepararíamos una tarta de chocolate, ...su música favorita, etc. Por otro lado, además de los compañeros y sus amigas, también ....que avisar a sus hermanos, ¿no crees?
Por cierto, ¿cuánto crees que .... todo? La gente no está muy bien de dinero, así que ....…................. que gastar lo menos posible.
Bueno, de momento es todo. ¡Hasta mañana!
Miguel

Atención

Los verbos que son irregulares en condicional son los mismos que en futuro y, además, la irregularidad es la misma. Solo tienes que cambiar el final.
Por ejemplo: *tener>tendré>tendría* o *poder>podré>podría*.

3 Da consejos y haz sugerencias

▸ **Observa la estructura y da consejos a estas personas.**

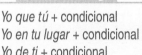

Dar consejo

Yo que tú + condicional
Yo en tu lugar + condicional
Yo de ti + condicional
Deberías + infinitivo

¿Qué me pongo para la cena del aniversario de boda de mis padres?

Los padres de mi novia me han invitado a cenar. ¿Qué puedo llevar?

No sé qué regalar a mi abuelo por su cumpleaños.

Nunca he ido a la inauguración de una galería de arte. ¿Cómo me visto?

No tengo ni idea de qué preparar de cenar para Nochebuena.

4 Informa: Tu próximo cumpleaños

▸ **¿Cómo te gustaría celebrar tu próximo cumpleaños? Imagina que todo es posible: dónde lo celebrarías, a quién invitarías, qué habría de comer y de beber, etc.**

Paso 2 Soluciona: Expresa tus mejores deseos

① Desenvuélvete en actos sociales

▸ **Explica las ventajas y las desventajas de cada forma de actuar en estas situaciones.**

En un cumpleaños, cuando tus amigos te dan los regalos:

a) Abrirlos en el momento en el que te los dan.

b) Esperar a que todo el mundo te dé su regalo.

c) Abrir los regalos cuando todo el mundo se ha ido.

😊 Ventajas

☹ Inconvenientes

En el trabajo, cuando te presentan a una compañera nueva:

a) Darle dos besos.

b) Darle la mano.

c) Simplemente decir «hola» e invitarla a un café.

😊 Ventajas

☹ Inconvenientes

Si vas a tomar unas tapas con unos amigos, en el momento de pagar:

a) Intentas invitar.

b) Preguntas cuánto es lo que has consumido.

c) Propones pagar entre todos.

😊 Ventajas

☹ Inconvenientes

② Reacciona ante diversas situaciones y expresa deseos

a. ▸ **Relaciona las situaciones con las reacciones adecuadas.**

1. A una amiga que te dice que se va a casar.	a. Que te mejores… y no te preocupes, seguro que no es nada grave.
2. A un compañero que celebra su cumpleaños.	b. ¿De verdad? Enhorabuena. Yo sabía que tarde o temprano lo ibas a conseguir. Ojalá llegues a director de departamento muy pronto.
3. A un amigo que ha aprobado un examen.	c. Muchas felicidades, hombre. Que lo pases muy bien y que lo celebremos muchos años.
4. A una persona que está enferma.	d. ¡Enhorabuena! Tantas horas en la biblioteca han merecido la pena, ¿eh?
5. A un amigo que ha conseguido un ascenso en el trabajo.	e. Lo siento mucho. Te acompaño en el sentimiento.
6. A un compañero al que se le ha muerto un familiar.	f. Enhorabuena. ¡Qué alegría! Me alegro muchísimo por los dos, de verdad. Que seáis muy, muy felices.

b. ▶ Completa la explicación con los ejemplos anteriores.

EXPRESAR DESEOS	
Que + presente de subjuntivo	
Ojalá + subjuntivo	
Querer, esperar + infinitivo (el mismo sujeto)	Quiero organizar una barbacoa para celebrar mi cumpleaños. (yo) (yo)
Querer, esperar + *que* + subjuntivo (sujetos diferentes)	Esperamos que lo pasen bien en la boda. (nosotros) (ellos)

c. ▶ Conjuga los verbos en presente de subjuntivo.

PRESENTE DE SUBJUNTIVO						
	CERRAR	VOLVER	PEDIR	IR	HACER	TENER
(yo)			pida			
(tú, vos)	cierres					
(usted, él, ella)						tenga
(nosotros/as)		volvamos				
(vosotros/as)					hagáis	
(ustedes, ellos/as)				vayan		

d. ▶ Escucha y apunta la mejor reacción.

Pista 56

1 [d]   **2** [ ]   **3** [ ]   **4** [ ]   **5** [ ]   **6** [ ]   **7** [ ]   **8** [ ]

a. Que aproveche.
e. Que tengas suerte.

b. Ojalá llegue a tiempo.
f. Que lo pases bien.

c. Que tengáis buen viaje.
g. Ojalá ganemos.

d. Que descanses.
h. Espero que te guste.

3 Expresa tus mejores deseos

a. ▶ Observa a este hombre que está en situaciones en las que es importante quedar bien con estas personas. Elige la reacción más adecuada a cada situación y ayúdalo a expresar deseos.

¡Enhorabuena! Se parece mucho a su padre.

¡Lo siento mucho!

Que te mejores pronto.

¡Felicidades, pareja! ¿Dónde vais de luna de miel?

b. ▶ Elige una de las cuatro situaciones y escribe una tarjeta expresando tus mejores deseos a esta persona.

Aprende a expresar probabilidad

a. ▸ Relaciona las situaciones extrañas para estas personas con las explicaciones. ¿Qué es lo que más te sorprende?

1. He preguntado a mi compañera de piso si quiere venir conmigo a comprar ropa después de comer y me ha dicho: «Claro, quedamos a las cinco». Qué tarde, ¿no?	a. A lo mejor en España es normal estar en casa con los zapatos.
2. Ayer invité a unos amigos españoles a cenar a mi casa y estuvieron todo el tiempo con los zapatos puestos y ahora tengo que limpiar el parqué.	b. Quizá los españoles no digan directamente «no» a una invitación. Tal vez entiendan que así pueden molestar a la otra persona. Yo creo que eso es que no quiere ir.
3. No entiendo por qué Carlos no me dice claramente si va a venir a la excursión del sábado. Cada día me pone una excusa, me dice que sí, pero que no sabe seguro… ¡Me desespera!	c. Puede que en España las tiendas estén cerradas durante la hora de la comida.
4. El viernes por la noche fui a cenar con Ángel y pedí paella. El camarero dijo que no tenían y Ángel puso una cara muy rara… no sé si se rio de mí.	d. Probablemente los españoles no coman paella para cenar, solo para comer. Es posible que sea como los italianos, que nunca toman capuchino después de comer. Son costumbres.

b. ▸ Lee otra vez las explicaciones y completa el cuadro con ejemplos.

Expresar deseos
A lo mejor + indicativo   Por ejemplo, ...
Quizá, tal vez + indicativo o subjuntivo   Por ejemplo, ...
Posiblemente, probablemente, seguramente + indicativo o subjuntivo   Por ejemplo, ...
Puede que, es posible/probable que + subjuntivo   Por ejemplo, ...

c. ▸ Explica estos malentendidos con una explicación que creas posible.

Mi compañera de piso es de España y dice que desayuno mucho porque tomo fruta, yogur, cereales, tostadas y café.

Cuando no termino la comida que pido en un restaurante siempre la pido para llevarla a casa y mis amigos españoles se ríen y me dicen que soy muy rara.

El sábado conocí a una colega y le pregunté cuánto dinero gana y se enfadó conmigo...

Mi amiga española me dijo que yo hoy estaba muy guapa con mi nuevo vestido y puso una cara de disgusto cuando le dije que sí, que era verdad, que ya lo sabía.

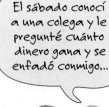

2 **Conoce los hábitos sociales de los españoles**

a. ▸ Di si son *verdaderas* o *falsas* estas afirmaciones.

	V	F

1. Dos amigas cuando se despiden se dan la mano o un abrazo.

2. Cuando te ofrecen algo de comer o de beber, la primera reacción es no aceptarlo. Cuando se insiste, se acepta.

3. Los familiares (hombres y mujeres) se dan uno o dos besos cuando se saludan.

4. Cuando algo no me gusta o no me apetece, lo digo directamente.

5. La tendencia natural de un español es intentar pagar la consumición del amigo o familiar y hay un ritual para conseguirlo.

6. Si se entra en un lugar cerrado (una oficina, un banco, una tienda, la cola del supermercado, el autobús…), nunca se saluda.

b. ▸ Escucha y comprueba tus respuestas.

Pista 57

c. ▸ ¿Qué es lo que más te ha sorprendido? ¿Por qué?

3 **Simula: Sé tú mismo en otra cultura**

▸ Todas las reglas tienen excepciones y hablando se entiende la gente. ¿Qué ocurre si quieres hacer algo que no es habitual? Lee estas secuencias y reacciona dando una explicación y buscando una solución.

> Sí, ya sé que aquí no es normal, pero…
> Sí, sí, lo sé. Pero, mire, le explico…
> ¡Ah! ¿Sí? Pues entonces…
> Ya, ya… ¿pero no podría…?

Perdone. ¿Nos puede traer la cuenta por separado: lo que ha consumido cada uno? ▸	Lo siento, pero eso no lo puedo hacer,… tienen que organizarse ustedes. ▸	
Buenas noches. Quiero comer aceitunas de primero. ▸	Perdone, es que las aceitunas no se comen como primer plato, son un aperitivo. ▸	
Hola, quiero tomar un filete de pollo con patatas fritas. ▸	Disculpe, pero la cocina está cerrada. Ya son las 17:00. ▸	
Bueno, pues cenamos en casa el viernes a las 19:00 y celebramos mi cumpleaños. ▸	¿A las 19:00? A esa hora estoy tomando café… vamos a quedar más tarde. ▸	
De primero voy a tomar gazpacho, después calamar a la plancha y de postre quiero queso. ▸	Es que aquí el queso lo tomamos como entrante, no como postre. ▸	

1 **Repasa el vocabulario de las celebraciones sociales**

▸ Escribe el nombre.

1. ....

2. ....

3. ....

4. ....

2 **Repasa el condicional**

a. ▸ **Da consejos para que estas personas puedan resolver sus problemas.**

1. La madre de mi mujer, mi suegra, me ha invitado a su cumpleaños, no sé qué regalarle.

   ....

2. He perdido las llaves de mi casa.

   ....

3. En mi trabajo no gano suficiente dinero para pagar mis facturas.

   ....

4. El motor de mi coche tiene un ruido muy raro, no sé qué puede ser.

   ....

5. Esta noche tengo una cena de empresa y no me apetece nada ir.

   ....

6. Tengo que llamar al trabajo, llegaré tarde y mi móvil se ha quedado sin batería.

   ....

b. ▸ **Completa el cuadro con los verbos en condicional.**

	DECIR	SALIR	PONERSE	QUERER	PODER	TENER
(yo)						
(tú, vos)						
(usted, él, ella)						
(nosotros/as)						
(vosotros/as)						
(ustedes, ellos/as)						

c. ▸ **Completa y marca la intención comunicativa.**

1. Yo que tú (hacer) .... una celebración pequeña, solo para la familia.

   a. Consejo **b.** Hipótesis **c.** Deseo

2. Supongo que (acostarse, ellos) .... muy tarde anoche porque fueron a una boda y todavía están dormidos.

   a. Hipótesis **b.** Deseo **c.** Invitación

3. ¿(Gustar, a vosotros) .... venir a la fiesta de inauguración?

   a. Consejo **b.** Invitación **c.** Hipótesis

4. (Deber, tú) .... llamar a las chicas para el cumpleaños.

   a. Deseo **b.** Consejo **c.** Hipótesis

5. Pues fue muy raro. No vino al bautizo. (Perder) .... el avión.

   a. Deseo **b.** Hipótesis **c.** Invitación

3 Repasa las expresiones de deseo

a. ▸ Completa y relaciona las situaciones con los deseos.

1. Que (ganar) .... el mejor.

   a. Preparando un día de playa con niños.

2. Espero que os (gustar)....................................... .

   b. Se van corriendo a la estación a subir al tren.

3. Ojalá no (llover) .... mañana.

   c. Cuando vamos a jugar un partido de fútbol.

4. Que (descansar, vosotros) ....

   d. Después de un viaje largo, al despedirse.

5. Ojalá (llegar, ellos) ....a tiempo.

   e. Quién ha hecho la cena, antes de empezar a comer.

b. ▸ **Elige la opción correcta.**

1. • Mañana me voy a León, a empezar mi nuevo trabajo.
   • Espero ir bien/que te vaya bien.

2. Ha perdido el billete de tren. No tiene ni idea de dónde lo ha puesto. Ojalá encuéntrelo/lo encuentre/lo encuentra pronto porque me voy a volver loca de escucharlo.

3. Espero que pasáis/paséis un fin de semana genial.

c. ▸ **Completa.**

1. He ido esta mañana al supermercado porque quiero que (preparar) .... una comida muy especial para celebrar mi santo.

2. • Ya he enviado toda la documentación. Ojalá (poder) .... estudiar Medicina.

   • Sí, hombre, seguro que sí. Bueno, me tengo que ir. Que (tener) .... mucha suerte.

3. Mamá ha comprado en el supermercado todos los ingredientes porque quiere que (preparar, yo) ....
.... mi paella. Desde que vivo en Valencia, siempre que vuelvo tengo que hacer paella.

4 Repasa la expresión de probabilidad

▸ **Completa.**

1. ¿Hacemos algo esta tarde? Mira la cartelera, puede que (haber) .... alguna obra de teatro interesante.

2. Es posible que (ir, nosotros) .... al cine esta tarde.

3. No contesta al teléfono, a lo mejor (salir, ella) .... a dar un paseo.

4. Llévate un paraguas, quizá (llover) .... de camino al espectáculo.

5. Laura no ha llegado, ¿dónde estará? Ay, es probable que no (poder, ella) .... llegar a tiempo.

6. Vaya, no tengo dinero para pagar las tapas, tal vez (poder, yo) .... pagar la cuenta con tarjeta de crédito.

Acción

Igual que hay muchas costumbres de los españoles que pueden ser raras para los extranjeros, también ocurre al revés. Piensa qué situaciones sociales de tu país pueden ser extrañas para los españoles, por ejemplo, algún tipo de fiesta o celebración. Ahora, escribe un *e-mail* para invitar a un amigo español a esa celebración.

1 Saluda a tu amigo.

2 Cuenta que hay una fiesta o celebración importante, en qué consiste, qué se hace, qué se come y qué se bebe, dónde se celebra, por qué…

Fiesta de las quinceañeras (México)

Salto de la hoguera en la noche de San Juan (Chipiona)

Fiesta de los muertos (México)

Batalla de tomates (Buñol, Valencia)

Els castellets (Cataluña)

3 Invita a tu amigo y expresa tu deseo de que vaya.

4 Explica que puede que haya situaciones raras para él y da consejos para que no sufra malentendidos (costumbres de la celebración, regalos, hora, ropa que debe llevar, etc.).

5  Despídete.

Módulo

16

Prepárate para un viaje

En este módulo vamos a...
hacer los preparativos de un viaje.

Pasos

Paso 1: Simula y compra el billete más adecuado.
Paso 2: Soluciona tus problemas con los trámites en el aeropuerto.
Paso 3: Prepárate e informa sobre las visitas a monumentos de interés.
Paso 4: Repasa y actúa, y haz los preparativos de un viaje.

Paso 1 Simula: Compra el billete más adecuado

1 Conoce el léxico de los medios de transporte públicos

a. ▸ Escucha la situación en la que se encuentran estas personas, responde a las preguntas y marca las observaciones correctas.

Pista 58

1. ¿Cuándo tiene que llegar?

Observaciones de interés:

☐ No tiene mucho dinero.
☐ Es un viaje de trabajo.
☐ Todo lo paga su empresa.

2. ¿Cuándo quiere viajar?

Observaciones de interés:

☐ Va de vacaciones.
☐ Va a un curso que empieza a las 16:30.
☐ No tiene mucho dinero.

3. ¿Cuándo tiene previsto ir?

Observaciones de interés:

☐ No tiene mucho dinero.
☐ El viaje está incluido en el precio del curso.
☐ Va a un curso que empieza a las 16:30.

b. ▸ Relaciona las palabras con las siguientes definiciones.

1. Las estaciones o paradas	a.	Es la categoría más alta cuando viajas en tren o en avión. Normalmente incluye servicios de comida, periódicos, etc.
2. La duración	b.	Es cada una de las paradas que hace un avión.
3. La escala	c.	Son los puntos intermedios donde un tren o un autobús para y recoge a otros pasajeros.
4. Ida y vuelta	d.	Es el tiempo que invierte un avión, un tren o un autobús en hacer un trayecto.
5. Primera o preferente	e.	Es el billete de doble trayecto: para ir y para volver al lugar de salida.

2 Desenvuélvete y aprende los indefinidos

a. ▸ Relaciona estos diálogos con el lugar donde puedes escucharlos.

1. • ¿Puedo ver su pasaporte?
   • Sí, aquí tiene.
   • Muchas gracias. ¿Tiene <u>alguna</u> maleta para facturar?
   • Sí, estas dos.
   • Muy bien. ¿Lleva <u>algo</u> de equipaje de mano: una mochila, una bolsa?
   • Sí, esta mochila.

2. • Buenos días. ¿Sale <u>algún</u> autobús para Toledo esta mañana?
   • No, lo siento. No hay <u>ningún</u> autobús hasta esta tarde.
   • ¿Y cuándo es el primero?
   • A las 16:00.
   • Bueno, pues deme un billete para ese.

3. • Perdone, ¿hay <u>alguien</u> en este asiento? Es que hay un amigo que viaja y me gustaría hacer el viaje con él.
   • En el asiento 11C no viaja <u>nadie</u>. Si quiere, se puede sentar allí.
   • Ah, ¡qué bien!, muchas gracias.

b. ▸ **Responde.**

1. ¿Cuánto equipaje lleva la persona que viaja en avión? ¿Qué va a llevar consigo y qué va a facturar?

2. ¿Cuándo prefiere viajar la persona que está en la estación de autobuses?

3. ¿Tiene algún problema serio el viajero del tren? ¿Por qué quiere cambiar de asiento?

c. ▸ **Completa este cuadro con los indefinidos subrayados en los diálogos anteriores.**

INDEFINIDOS (hacemos referencia a una cantidad inexacta)								
Existencia			**No existencia**			**Pronombres indefinidos**		
	Masculino	Femenino		Masculino	Femenino		Persona	Cosa
Singular			Singular		alguna		Existencia	
Plural	algunos	algunas	Plural	———	———	No existencia		nada

d. ▸ **Completa estos diálogos con los indefinidos.**

nada (2)	alguna (3)	algún (2)
algo	algunas	ninguna

Pronombres indefinidos

algún + sustantivo = **alguno**
ningún + sustantivo = **ninguno**

1. ● ¿Tiene .... preferencia para el asiento?
   ● Sí, prefiero pasillo.

2. ● ¿Lleva .... que declarar?
   ● No, no llevo ....

3. ● ¿Tenéis .... plan para el verano?
   ● No hemos pensado en .... todavía, pero podemos hacer .... viaje juntos.

4. ● Perdone, señor, ¿tiene .... bolsa transparente para llevar los botes de gel?
   ● Creo que allí hay ....

5. ● ¿Has encontrado .... oferta de vuelos baratos para el puente?
   ● No, no he encontrado .... y he buscado en varias páginas web.

3 Simula: Compra el billete más adecuado

▸ **En parejas, simula la conversación y la compra de un billete de tren para ir de Barcelona a Zaragoza. Sigue las pautas.**

Alumno A: Vendedor de Renfe

Tipos de trenes Barcelona-Zaragoza:
- El AVE directo tarda 1:25 h.
- El AVE con paradas tarda 1:50 h.
- El regular tarda 4:45 h.

renfe

Precios:
- AVE directo y con paradas:

Turista: 65,80 € Niños* -40%
Preferente: 118 € Niños* -40%
Turista: 25,50 € Niños* 15,50 €

- Regular:

Horarios:
- AVE directo: 8:00 h; 9:30 h; 11:45 h; 13:15 h; 14:30 h; 18:00;
  19:00; 20:40 h; 21:50 h; 23:00 h.
- AVE con paradas: 8:40 h; 9:50 h; 10:45 h; 15:35 h; 17:30 h; 19:15;
  20:20; 21:50 h; 22:50 h; 23:55 h.
- Regular: 8:15 h; 15:00 h; 22:30 h.

Comidas:
- Incluidas en clase preferente.
- En el resto no se sirven comidas, pero hay cafetería a bordo.

*Niños: 4-13 años.

Alumno B: Cliente

Quieres ir de Barcelona a Zaragoza.

No puedes viajar antes de las 14:30.

Vas con tu pareja y tu hijo.

Tu hijo tiene 9 años.

Quieres ir en clase turista.

No sabes si van a dar algo de comer durante el viaje.

No sabes si el niño tiene que pagar.

Paso **2** Soluciona: Los trámites en el aeropuerto

1 ⬡ **Aprende a hablar de las actividades propias del aeropuerto**

a. ▶ **Ordena cronológicamente esta secuencia de un viaje en avión.**

☐ mostrar el pasaporte o el DNI ☐ aterrizar ☐ ir a las cintas a recoger el equipaje ☐ embarcar

☐ escuchar la información de seguridad que da la tripulación del avión ☐ facturar el equipaje ☐ despegar

☐ pasar el control de seguridad ☐ imprimir el billete electrónico ☐ ir a la puerta de embarque

b. ▶ **Lee este texto y comprueba tus respuestas.**

> Si puedo, evito viajar en avión.
> No me gusta tener que ir al aeropuerto dos horas antes para pasar por todos los trámites antes de embarcar. Compras el billete y luego <u>lo</u> tienes que imprimir. Cuando llegas al aeropuerto, tienes que esperar para facturar el equipaje (<u>lo</u> pesas, <u>lo</u> mides...) e ir al control de seguridad, donde el personal de seguridad <u>te</u> pide el billete y el pasaporte, <u>se lo</u> enseñas y pasas. Te quitas los zapatos, el cinturón, la cartera... ¡todo!, y <u>lo</u> pasas por el escáner. Después, esperas la hora de embarcar. Una vez en el avión, todavía tienes que escuchar la información que te da la azafata y, por fin, despegar. Todo esto lleva mucho tiempo. En el avión las azafatas <u>nos</u> ofrecen bebida, comida, perfumes y ¡hasta lotería! La gente <u>les</u> pide de todo: una manta, un poco de agua, una revista, una almohada... y ellas <u>se lo</u> traen con una sonrisa... Una vez en destino, todavía tienes que ir a las cintas, esperar las maletas, recoger<u>las</u> y salir del aeropuerto. Entonces empieza el viaje (o la aventura de encontrar un taxi).

c. ▶ **Fíjate en los pronombres señalados en el texto. ¿A qué objeto o persona hacen referencia cada uno? Completa la explicación en la tabla.**

Pronombres de CD
me
te
........./la
nos
os
los/.......

Pronombres de CI
me
....
le > ....
....
os
........> se

d. ▶ **Completa con los pronombres adecuados.**

1. El pasaporte... Muy importante, no puedes olvidar................. .... en casa porque .... tienes que enseñar cuando .... piden.

2. En las tiendas *duty-free* siempre compro varios productos para regalar .... a mis amigos y familia.

3. De pequeña quería ser azafata, pero cuando .... veo en el aeropuerto, sé por qué, al final, no estudié para eso.

4. Siempre llevo una pequeña maleta de mano. .... necesito para guardar todas aquellas cosas que no quiero que vayan en la maleta.

5. Presta atención a las pantallas del aeropuerto. Debes consultar................... para saber cuál es tu puerta de embarque y a qué hora sale tu avión.

6. Si necesitas tomar una aspirina, ... puedes pedir a la azafata que .... dé.

7. En el vuelo de la semana pasada perdieron mis maletas. Hoy .... han llamado y cuando he ido a recoger..............., ... han dado rotas. He puesto una reclamación, claro.

e. ▸ Escribe un texto a favor de viajar en avión y exponiendo las desventajas de viajar en otros medios como el tren o el autobús.

2 Comprende los avisos que escuchas en el aeropuerto

🔊 ▸ Escucha e identifica la información que escuchas.

Pista 59

☐ Ya se puede embarcar.

☐ Están esperando a un pasajero.

☐ Recuerdan las normas de comportamiento.

☐ El vuelo sale con retraso.

☐ Se ha cambiado de puerta.

☐ Recomiendan no dejar solas las maletas.

3 Soluciona: Los trámites en el aeropuerto

a. ▸ Lee estas dos informaciones y ponle un título a cada texto.

Se permite solo **una pieza de equipaje de mano por pasajero** (excepto los bebés) con peso de **10 kg** y dimensiones de **55 x 40 x 20 cm** como máximo (todo bolso, maletín, ordenador portátil, artículos de las tiendas del aeropuerto, cámara, etc., deben estar dentro de la única pieza de equipaje de mano permitida).

Equipaje de cabina extra o de gran tamaño será rechazado en la puerta de embarque o será colocado en la bodega del avión con un **coste de 40 €.**

Si no está seguro, **confirme en el mostrador** de entrega de equipajes antes de pasar el control de seguridad del aeropuerto.

Solo le está permitido llevar en su equipaje de mano pequeñas cantidades de líquidos. Estos líquidos tienen que ir en pequeños botes con una capacidad individual máxima de 100 ml. Cada pasajero tiene que llevar estos botes en una bolsa transparente de plástico cerrada de no más de un litro de capacidad máxima (bolsa de aproximadamente 20 x 20 cm), para facilitar la inspección de estos productos en los controles de seguridad.

b. ▸ Ahora lee las dudas de estas personas y ayúdalas.

He hecho la maleta y tengo 8 botes de geles, champús y cremas, pero no caben en la bolsa transparente que tengo. ¿Puedo llevar dos bolsas iguales?

Mi madre es la primera vez que viaja y le he explicado las normas del equipaje de mano. Suponemos que ella puede llevar su bolso y, además, el equipaje de mano, ¿no?

He estado estudiando español 4 meses en España y he comprado muchas cosas. Tengo 4 kilos más de lo permitido. ¿Qué me va a pasar? ¿Qué puedo hacer?

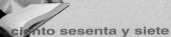

Paso 3 Informa: Visita monumentos de interés

1 Amplía el vocabulario para hablar de viajes

▸ Lee estas opiniones de viajeros y resume cada una con una palabra.

1. Ya lo tengo todo listo: un plano de la ciudad y un mapa de la región, los billetes de ida y vuelta, las reservas del hotel y el seguro de viaje.

2. El vuelo tiene una escala. Solo tenemos 40 minutos para cambiar de avión, así que tenemos que darnos prisa.

3. ¿Estáis preparando las maletas? Cuidado con todo lo que lleváis, que si pesa mucho tenéis que pagar.

4. Lo más pesado es llevar las maletas y el bolso, porque tenemos que bajarnos y subirnos de tren tres veces.

5. Aquí vamos a estar tres días, con pensión completa y hemos contratado dos excursiones.

6. ¿Qué os parece si reservamos dos habitaciones dobles en algún hostal y pasamos el fin de semana fuera?

Equipaje de mano

Escala corta

Exceso de equipaje

Excursión

Preparativos

Viaje organizado

2 Organiza la visita a un monumento y transmite la información a otras personas

a. ▸ Lee la información del folleto y luego la de este correo electrónico y corrige los errores que hay en el correo para que la información que transmite sea correcta.

De: Rafa
Para: indisclosep
Asunto: Viaje a Granada!!

Hola, chicos.

He visto un folleto de la Alhambra. Os paso la información. Tenemos que hablarlo tranquilos porque hay varios tipos de visita y distintos precios. El folleto dice que se puede visitar durante el día y durante la noche y que el precio es de 13 euros. También hay una visita guiada, pero cuesta 46 euros… demasiado, ¿no?

También dice que compremos las entradas antes, porque hay mucha gente siempre, pero lo bueno es que con la entrada podemos entrar durante todo el día si queremos.

Bueno, esta noche lo hablamos y, si queréis, podemos llamar por teléfono, pero yo creo que la visita por la noche debe ser muy bonita: el folleto pone que la visita nocturna se puede hacer todos los días, pero con un máximo de 400 plazas.

¡Hasta luego!

Rafa

Visita La Alhambra

INFORMACIÓN GENERAL

- Las entradas son válidas únicamente para el día y el horario indicados.
- Debido al gran número de visitantes, se recomienda adquirir las entradas de manera anticipada.
- Una vez en el interior del monumento, puede permanecer en él hasta que cierre.

TIPOS DE ENTRADA

Visita Diurna (13 euros)

Horarios: Mañana (lunes a domingo): de 8:30 a 14:00 horas.
Tarde (lunes a domingo): de 14:00 a 18:00 (de noviembre a febrero).
y de 14:00 a 20:00 horas (de marzo a octubre).

Visita Nocturna (8 euros)
Noviembre a febrero: Viernes a sábado, de 20:00 a 21:30 horas.
Marzo a octubre: Martes a sábado, de 22:00 a 23:30 horas.

También puede hacer una visita guiada (46 euros).
Para más información y contratación, contacte con las oficinas del monumento.

b. ▸ Fíjate de nuevo en el texto y completa la explicación.

ESTILO INDIRECTO

Decir que + indicativo	*Decir que* + subjuntivo
Para transmitir información actual, objetiva.	Para transmitir una orden, una sugerencia.
En este caso *decir* significa: *informar, comunicar.*	En este caso, *decir* significa: *mandar, recomendar.*
Por ejemplo:	Por ejemplo:
....	....

c. ▸ Transforma al estilo indirecto esta información y toma nota de lo que te transmite tu compañero.

Alumno A

Por favor, déjame una maleta, la necesito para mañana.

Pues solo hay una libre. Ayer compré los billetes (ida y vuelta).

He reservado una habitación en un hotel muy barato.

Alumno B

Necesitamos dos habitaciones.

Pues entonces yo no puedo ir. Pásadlo muy bien en el viaje.

Lo siento, solo tengo una y la necesito yo. ¿Has hecho ya la reserva del hotel?

3 Desenvuélvete en la taquilla

a. ▸ Relaciona estos turnos de conversación.

1. Le llamo para confirmar la reserva que hice la semana pasada para un grupo de 20 personas el viernes a las 18:00.

2. ¿Me puede decir el horario de apertura durante el fin de semana?

3. Tengo otra pregunta. ¿Hay algún descuento para estudiantes?

4. ¿Me podría informar de los diferentes tipos de visita que se pueden hacer?

a. Puede hacer la visita normal (durante el día), la visita nocturna (solo los últimos viernes de cada mes) y la visita combinada, que incluye una ruta en el autobús turístico por la ciudad. Y, claro, también hay visitas guiadas en grupo.

b. Tenemos tarifa reducida de 2 euros para estudiantes y jubilados. Siempre presentando el carné.

c. Todos los días abrimos a las 10:00 y cerramos a las 20:00, excepto el domingo, que cerramos a las 15:00.

d. Sí, aquí la tenemos. Instituto Federico García Lorca. No se preocupe, está confirmado.

b. ▸ Escucha y completa la información que falta.

Pista 60

Situación	Quién	Qué y dónde	Cuándo	Cómo
1				Visita en grupo
2			El sábado	
3	Salva			
4		Casa natal de Lorca (Fuentevaqueros, Granada)		

c. ▸ Elige una situación y, en parejas, simula la conversación.

Vas a las taquillas a recoger unas entradas que reservaste por teléfono.

Llamas por teléfono a las taquillas para preguntar por los horarios, precios y tipos de visita.

Vas a comprar cuatro entradas. Una de ellas es para su sobrino, de 10 años, y otra para el abuelo, que tiene 69 años.

4 Informa: Visita un monumento de interés

▸ ¿Cuál es el monumento más importante de tu ciudad, de tu región, de tu país? Preséntalo a tus compañeros y cuenta qué es, cuándo y por qué se construyó, si se puede visitar y cuáles son las condiciones de la visita (precio de la visita, duración, mejor momento para visitarlo, etc.).

1 ⬤ Repasa los indefinidos

▶ **Elige la opción adecuada.**

1. Estoy buscando una cartera para llevar los documentos y el dinero cuando viajo. ¿Tienen alguna/ninguna?

2. ⬤ Todavía nos quedan alguno/algunas plazas libre para el tren de las tres y media.
   - ¿Y para el de las doce?
   - No, lo siento. Para el de las doce no queda ninguna/ningunas ya.

3. Si lleva ordenador portátil o algo/alguna cosa metálica, debe ponerlo en la bandeja.

4. En la tienda *duty-free* hay alguna/algunas guías de la ciudad. ¿Las miramos y compramos una?

5. No quiero tomar algo/nada en la cafetería, no me apetece nada/ningún ahora.

2 ⬤ Repasa los pronombres

a. ▶ **Completa con los pronombres *me, te, nos, os*.**

1. ⬤ ¿...............................puede enseñar la tarjeta de embarque, por favor?
   ⬤ Sí, claro. Aquí tiene.

2. ⬤ Ana, el sábado .... vi en la estación de tren.
   ⬤ Sí, sí… fui a comprar los billetes para Sevilla.

3. La azafata .... ha dicho que podemos ir a la cabina y saludar a los pilotos. ¿Podemos ir, mamá?

4. Mis compañeros del curso de español del verano pasado van a venir a visitar .... el próximo mes.

5. La abuela .... quiere comprar algo en la tienda *duty-free*. Id con ella y decidle qué queréis.

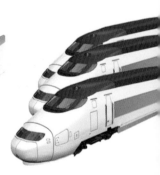

b. ▶ **Completa estos diálogos con los pronombres adecuados.**

1. ⬤ ¿Has comprado los billetes para todos?
   ⬤ Sí, ... he comprado esta mañana.

2. ⬤ Ayer estuve en la agencia de viajes y .... compré los billetes a Jorge y a Silvia.

3. ⬤ ¿Os devolvieron las maletas que se perdieron?
   ⬤ Sí, ... devolvieron el viernes pasado.

4. ⬤ ¿Visitaste la exposición sobre Goya en Zaragoza?
   ⬤ Sí, ... vimos y es fantástica.

5. ⬤ ¿Dónde están las tarjetas de embarque?
   ⬤ No las tengo, ... he dado a papá.

6. ⬤ ¿Te gusta esta camiseta? Estoy pensando en comprar.............. y .... voy a regalar a Esperanza.

3 **Repasa el vocabulario de los monumentos**

▸ **Escucha y marca los monumentos que visitó esta pareja.**

Pista 61

a. Castillo de Belmonte (Cuenca)

b. Teatro romano de Mérida

c. Catedral de Burgos

d. Acueducto romano de Segovia

e. Palacio barroco de La Granja

f. Puerta de Alcalá (Madrid)

4 **Repasa y amplía la forma de transmitir información**

▸ **Transforma a estilo indirecto.**

1. Ramón: «Estoy muy cansado, es que me he levantado a las 4:30 para ir al aeropuerto».

   → Ramón dice que ....

2. Miguel: «Yo viajaba mucho en mi anterior trabajo. Ahora ya no viajo nada».

   → Miguel dice que ....

3. Ana: «Me gustaría conocer el norte de España. No he ido nunca».

   → Ana dice que ....

4. Mario: «¿A qué hora llegasteis anoche de Bogotá?».

   → Mario pregunta que ....

5. Ricardo: «¿Cuándo tenéis las vacaciones este año?».

   → Ricardo pregunta que ....

6. Irene: «Iremos a Cancún otra vez este verano. El año pasado fuimos y nos encantó».

   → Irene dice que ....

Acción

Haz los preparativos para un viaje

Haz todos los preparativos necesarios para organizar un viaje perfecto.

1. Decide la fecha.

2. Decide con quién vas a viajar.

3. Decide la duración del viaje.

4. Elige dónde ir.

5. Decide el medio de transporte.

6. Elige el tipo de alojamiento.

7. Escoge qué vas a visitar.

8. Toma nota de cuánto crees que va a gastar cada persona en el viaje.

9. Compara tu plan con el de otros compañeros.

10. Puedes buscar en Internet otros lugares que visitar, dónde comer, etc.

Antes de empezar...

Destino
Transporte
Alojamiento
Lugares de interés

Para terminar, haz cuentas...

OFERTA 1

Destino: Granada

Transporte:

☐ En avión	Duración: 3:30 horas (1 escala)	Precio: 380 € (1ª clase)/ 260 € (turista)
☐ En tren	Duración: 4:30 horas (con paradas)	Precio: 185 € (1ª clase)/ 134 € (turista)
☐ En autobús	Duración: 6:15 horas (con paradas)	Precio: 42 €

Alojamiento:

☐ En hotel	Categoría: 5 estrellas	Habitación doble + desayuno 140 €/noche
☐ En hotel	Categoría: 3 estrellas	Habitación doble + desayuno 80 €/noche
☐ En hostal	Categoría: 2 estrellas	Habitación doble + desayuno 45 €/noche

Visitas de interés:

☐ La Alhambra	Precio: 13,00 €
☐ Capilla Real (tumba de los Reyes Católicos)	Precio: 7,50 €
☐ Catedral	Precio: 0,75 €

OFERTA 2

Destino: Barcelona

Transporte:

☐ En avión	Duración: 2:10 horas (sin escalas)	Precio: 210 € (1ª clase)/ 120 € (turista)
☐ En tren	Duración: 3:30 horas (con paradas)	Precio: 148 € (1ª clase)/ 119 € (turista)
☐ En autobús	Duración: 5:15 horas (con paradas)	Precio: 36 €

Alojamiento:

☐ En hotel	Categoría: 4 estrellas	Habitación doble + desayuno 180 €/noche
☐ En hotel	Categoría: 3 estrellas	Habitación doble + desayuno 100 €/noche
☐ En hostal	Categoría: 2 estrellas	Habitación doble + desayuno 55 €/noche
☐ En hostal	Categoría: 1 estrella	Habitación (baño compartido) 40 €/noche

Visitas de interés:

☐ Sagrada familia	Precio: 12,50 €
☐ La Pedrera	Precio: 4,00 €
☐ Catedral	Precio: 4,00 €
☐ Museo Picasso	Precio: 10,00 €
☐ Fundación Joan Miró	Precio: 9,00 €

OFERTA 3

Destino: Madrid

Transporte:

☐ En avión	Duración: 1:15 horas (sin escalas)	Precio 200 € (1ª clase)/110 € (turista)
☐ En tren	Duración: 2:25 horas (sin paradas)	Precio 150 € (1ª clase)/105 € (turista)
☐ En autobús	Duración: 4:45 horas (con paradas)	Precio: 32 €

Alojamiento:

☐ En hotel	Categoría: 4 estrellas	Habitación doble + desayuno 200 €/noche
☐ En hotel	Categoría: 3 estrellas	Habitación doble + desayuno 120 €/noche
☐ En hostal	Categoría: 2 estrellas	Habitación doble + desayuno 60 €/noche
☐ En hostal	Categoría: 1 estrella	Habitación (baño compartido) 35 €/noche

Visitas de interés:

☐ Palacio Real	Precio: 10,00 €
☐ Museo del Prado	Precio: 10,00 € (colección permanente + exposición temporal)
☐ Museo Reina Sofía	Precio: 10,00 € (colección permanente + exposición temporal)
☐ Templo egipcio de Debod	Precio: 2,50 €
☐ Museo Thyssen-Bornemisza	Precio: 8 €
☐ Visita panorámica por la ciudad con guía	Precio: 25 €

Módulo 17

Organiza una mudanza

En este módulo vamos a...
ayudar a alguien a tomar una decisión importante.

Pasos

Paso 1: Prepárate e informa de tus motivaciones para cambiar de país.
Paso 2: Soluciona tus problemas durante los primeros pasos en un país nuevo.
Paso 3: Simula y negocia el alquiler de un piso.
Paso 4: Repasa y actúa, y ayuda a un amigo a tomar una decisión.

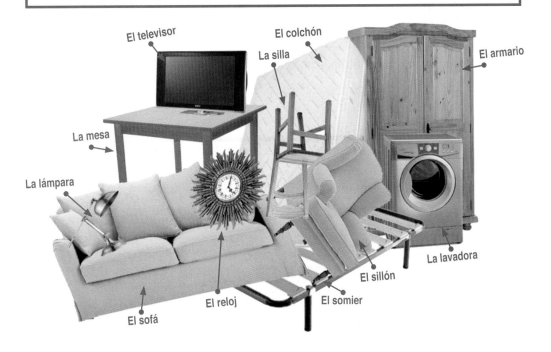

El televisor
El colchón
La silla
El armario
La mesa
La lámpara
El reloj
El sillón
El somier
La lavadora
El sofá

Paso 1 Informa: Motivaciones para cambiar de país

1

Aprende a expresar causa y finalidad

a. ▶ ¿Por qué te mudarías a otro país? Elige cuatro de las razones por las que estas personas cambiarían de país, añade alguna más si quieres y compáralo con un compañero.

Yo me iría a vivir a otro país por amor.

Haríamos cualquier cosa, incluso vivir fuera, para que nuestro negocio se expanda internacionalmente.

Pues yo, para que mi hijo pueda estudiar lo que quiera.

Yo, para conseguir un trabajo mejor.

Como mi familia vive fuera, me iría con ellos, bueno si encuentro un buen trabajo.

Yo me iría a cualquier lugar, porque me encanta conocer otras culturas.

Yo por el clima. Estoy cansada del frío y la lluvia.

b. ▶ Fíjate en las motivaciones anteriores y completa la explicación con los ejemplos.

EXPRESAR CAUSA	EXPRESAR FINALIDAD
Por + sustantivo, pronombre o infinitivo Ejemplo:	***Para*** + infinitivo (el mismo sujeto) Ejemplo:
Porque/Es que + indicativo Ejemplo:	***Para que*** + subjuntivo (sujetos diferentes) Ejemplo:
Como + indicativo Ejemplo:	

c. ▶ Marca la opción adecuada y completa con el verbo en la forma correcta.

1. El mes que viene me mudo. Es que/Para que a mi novia (ofrecerle) .... un trabajo en Lima y nos vamos allí para/para que (poder, ella) .... seguir ascendiendo en su empresa.

2. Ya he alquilado un apartamento para/por (vivir) .... allí durante el curso.

3. Mis padres han ahorrado toda su vida para que/porque mi hermano y yo (poder) .... ir a la universidad en el extranjero.

4. Como/Porque en mi ciudad no (haber) .... Arquitectura, me tengo que ir a Sevilla y estudiar allí.

5. Vamos a volver a Montevideo el próximo curso para/por los niños. Allí están mejor.

6. Tenemos que viajar este mes para/por (buscar) .... una casa antes de ir definitivamente con toda la familia.

7. La principal razón es la propia ciudad y la situación actual. Nos trasladamos para que/porque aquí no (tener) .... trabajo y no vemos posibilidad de encontrarlo.

8. He llamado para que/porque me (enviar) .... toda la información de los grados de ciencias que tiene la Universidad Nacional Autónoma de México.

d. ▸ Lee estas afirmaciones y expresa tu opinión. Explícala.

1. Yo solo me iría a un país donde se hable mi mismo idioma.

2. Mi mayor miedo es la diferencia cultural, las costumbres…

3. A mí me gusta ir a la aventura: sin casa, sin trabajo… y, en el lugar de destino, solucionar estas cosas.

4. Primero iría yo solo. Unos meses después, vendría el resto de la familia.

5. Yo no tengo miedo a los cambios. Soy optimista y lo veo todo como formas de crecer, de evolucionar. Son nuevos retos.

6. Nosotros primero necesitamos tenerlo todo bien atado: el piso, los papeles, el trabajo, etc.

Expresar acuerdo	Expresar desacuerdo
Estoy (totalmente) de acuerdo contigo.	Yo, en cambio,…
Yo (también) pienso como tú.	Sin embargo, nosotros…
Opino/Pienso lo mismo.	Pues yo al revés, prefiero…
Coincido contigo.	Pues yo no. Yo…
A mí también me pasa lo mismo.	Uy, ¡qué va! Al contrario…
	No, no… ni en broma.

2 Organiza los pasos que hay que dar para cambiar de país

a. ▸ Fíjate en esta lista de actividades que hay que hacer cuando nos trasladamos, señala las que son más importantes para ti, añade las que falten y ponlas en el orden en el que tú las harías.

- ☐ buscar piso
- ☐ aprender el idioma
- ☐ comprar los billetes de avión
- ☐ apuntar a los niños al colegio
- ☐ enviar los muebles o comprarlos allí
- ☐ buscar trabajo
- ☐ gestionar el visado
- ☐ cambiar dinero a la moneda local
- ☐ buscar un banco para abrir una cuenta

b. ▸ Compara tu resultado con un compañero y justifica los puntos en los que no coincidís.

c. ▸ Escucha los pasos que da esta familia antes de cambiar de país, marca los que oyes y anota el orden en que hacen las actividades. ¿Coinciden con el que tú o tu compañero habéis decidido?

Pista 62

ANTES DE VIAJAR

YA EN EL PAÍS DE DESTINO

3 Informa: Motivaciones para cambiar de país

▸ Contesta este cuestionario y comenta las respuestas con tus compañeros.

¿Por qué y para qué cambiarías de país?

¿Cómo es tu lugar ideal para vivir?

¿Cómo te afectaría estar en un país nuevo sin tu familia y sin tus amigos?

¿Cuáles serían tus mayores preocupaciones?

Paso 2 Primeros pasos
Soluciona: en un país nuevo

a. ▸ Lee estos tres textos y ponles título.

> Muchas personas -según su nacionalidad, su cultura, sus intereses o su personalidad-, **cuando llegan a un nuevo país,** buscan a otras personas de su nacionalidad, así se sienten más seguros y más cómodos en la nueva situación. Son personas que, **cuando empiezan su «nueva vida»,** necesitan encontrar supermercados donde vendan alimentos de su país y hablar su propia lengua, «para no perder las raíces», dicen.

> Nosotros, **cuando llegamos a Argentina,** no buscamos a personas de nuestra nacionalidad ni asociaciones culturales de nuestro país. Al contrario, **cuando nos instalamos en Buenos Aires, aprendimos a cocinar platos típicos argentinos,** bebíamos mate, comíamos asados y poníamos dulce de leche en todos los postres.

> A finales de otoño nos iremos a vivir a España. **Cuando lleguemos a Valencia, tendremos que buscar una escuela para los niños** y también buscaré un trabajo. Primero, viviremos con unos familiares que están allá pero, **cuando consiga trabajo, alquilaremos un piso** e intentaremos comprar un coche. Estamos muy nerviosos y, a la vez, muy emocionados por esta nueva etapa de nuestras vidas.

b. ▸ Lee de nuevo los textos, fíjate en las frases marcadas y completa la explicación.

ORACIONES TEMPORALES		
Cuando + indicativo, indicativo		*Cuando* + _____, futuro (*)
Hablamos de hábitos	**Hablamos del pasado**	**Hablamos del futuro**
Ejemplos:	*Ejemplos:*	*Ejemplos:*
1.	1. Cuando llegamos a Buenos Aires, no buscamos a personas de nuestra nacionalidad.	1. ....
2. Cuando empiezan su «nueva vida», necesitan encontrar supermercados donde vendan alimentos de su país.	2.	2. Cuando consiga trabajo, alquilaremos un piso.
		(*) Futuro simple, perífrasis *ir a* + infinitivo, imperativo.

c. ▸ Completa:

1. Cuando su familia (decidir) .... trasladarse a México, empezó a estudiar español.

2. Cuando voy de viaje, me (gustar) .... probar la gastronomía del lugar.

3. Cuando (volver) .... a mi país, buscaré trabajo, ahora solo quiero mejorar el idioma.

4. Cuando (ir) ...., llámame y quedamos.

5. Ven a visitarme cuando (poder) .... o cuando (tener) .... tiempo.

6. Cuando me cambio de ciudad, (preferir) .... buscar piso por el centro.

7. Podemos ir al museo cuando (venir) .... la próxima vez.

2. Conoce el funcionamiento de la sociedad española

a. ▶ Di si crees que estas afirmaciones son *verdaderas* o *falsas* y justifica tu respuesta.

1. Por trabajar en una empresa, se tiene automáticamente derecho a la seguridad social.

2. Si quieres, puedes escolarizar a los hijos desde los 3 años, pero no es obligatorio.

3. A partir de los 6 años, un niño tiene obligación de ir a la escuela.

4. Es necesario un permiso de residencia cuando se está en España más de 90 días y se quiere trabajar.

5. Las personas que viven en España tienen la posibilidad de empadronarse en el municipio donde residen.

6. Es obligatorio tener un seguro de salud.

7. Todos los carnés de conducir son válidos en España.

8. Si no tienes un contrato de trabajo, no puedes comprar una casa, solo puedes alquilarla.

b. ▶ Escucha a estas personas que cuentan su experiencia y comprueba tus respuestas. ¿Sabes si todo es igual que en tu país?

Pista 63

c. ▶ Fíjate en la explicación y elige la opción adecuada.

Indica anterioridad o posterioridad

***Antes/Después de* + infinitivo** (el mismo sujeto o acontecimientos generales).

Ejemplo: *Iré a tu casa antes de comer.*

***Antes/Después de que* + subjuntivo** (sujetos diferentes).

Ejemplo: *Iremos a su casa después de que Marta salga del examen.*

Indica rapidez, inmediatez

***En cuanto* + indicativo** (presente/pasado).

Ejemplo: *En cuanto llegó, empezamos a comer.*

***En cuanto* + subjuntivo** (futuro).

Ejemplo: *En cuanto lleguéis, prepararemos la cena.*

***Nada más* + infinitivo.**

Ejemplo: *Nada más comprar las entradas, me llamó.*

---

1. En cuanto mi pareja vuelve/vuelva del trabajo, iremos a ver el piso.

2. Nada más llegue/llegar, voy a ir a la policía a preguntar qué papeles necesito para buscar trabajo.

3. Tenemos que ir a la universidad después de que comamos/comer para pedir información de los trámites de convalidación del título.

4. En cuanto me envíen/envían la información que les pido en el correo electrónico, comenzaré los trámites.

5. Nos informaremos de todos los requisitos antes de (vosotros) llevar/que llevéis la documentación.

6. En cuanto llego/llegue a casa, me pondré a estudiar.

7. Creo que haremos la compra después de salir/que salgan los niños del colegio.

---

3. Soluciona: Primeros pasos en un país nuevo

▶ Observa a esta mujer que acaba de llegar a España y envíale un correo electrónico comentándole qué harías tú en su situación.

¿Abro una cuenta bancaria?

¿Tengo que ir al consulado periódicamente?

¿Habrá algún supermercado donde vendan productos de mi país?

¿Qué puedo hacer para conocer a gente de aquí?

Paso 3
Simula: Negocia el alquiler de un piso

Desenvuélvete al comprar o alquilar un piso

a. ▸ Lee los textos y anota las características de cada piso. ¿A qué imagen corresponde cada uno?

1

hace unos segundos

¡Hola, guapa! ¿Sabes? Mi hermana se ha comprado una casa. Por fin se va de casa 😊. Su marido y ella han estado buscando mucho tiempo y ya han comprado un chalé que tiene dos plantas y jardín y que está enfrente de la casa de los padres de mi cuñado. Te escribiré más adelante y te contaré más cosas...

2

Para:
CC:
Asunto:

Hola, Ana. Te escribo para darte una gran noticia: ¡por fin me voy a independizar! Todavía no sé cuándo exactamente, ahora estoy buscando piso, pero espero poder mudarme antes de fin de año. Necesito tu ayuda. Quiero un apartamento que no sea muy grande, solo para mí, y donde pueda llevar a mi perro. Creo que tu hermana trabaja en una inmobiliaria, ¿no? Quizá podemos ir una tarde. Bueno, espero tu respuesta. ¡Un beso!
Isabel

3

Busco piso familiar en alquiler que sea céntrico o que tenga buenas comunicaciones por autobús o metro. Necesito un piso que tenga como mínimo dos habitaciones y dos baños y, si es posible, que disponga de un espacio de despacho. Mejor amueblado.

raquel.leuqar@gmail.com

4

Se ofrece habitación en piso compartido de estudiantes.
Publicado hoy 17:45

Es una casa que está en las afueras, cerca del estadio de fútbol, pero que tiene estación de metro a dos minutos. El piso es totalmente nuevo y está vacío. Tiene cuatro habitaciones y dos baños. Solo chicas. Llamar por las tardes al 664664664 (Elena)

Ver anuncio completo /Contactar

a. ☐   b. ☐   c. ☐   d. ☐

b. ▸ Fíjate en los textos anteriores y completa la explicación con ejemplos.

ORACIONES RELATIVAS	
Objeto/persona + *que/donde* + indicativo	**Objeto/persona + *que/donde* + subjuntivo**
Cuando describimos personas o cosas de las que conocemos su existencia.	Cuando describimos personas o cosas de las que no conocemos su existencia.
Ejemplos:	Ejemplos:
- *Han comprado un chalé que tiene dos plantas y jardín.*	- ....
-	- *Quiero un apartamento que no sea muy grande.*

178 ciento setenta y ocho

c. ▶ Completa con *donde* o *que* y con el verbo en la forma adecuada.

encontrar   vivir   ser   estar (3)   querer   tener

1. No sé cuál es el bloque .... Román. ¿Tú sabes cuál es?

2. Queremos mudarnos a una casa .... más grande que la nuestra y .... tres dormitorios, dos baños y un salón grande.

3. Estamos buscando un piso .... cerca de la universidad, por las niñas, pero todos los que vemos son pisos .... muy lejos y .... muy mal comunicados.

4. ¿Te acuerdas de la página web .... el piso que alquilasteis en Alicante? Es que estamos buscando un apartamento para el verano.

5. Todavía no he visto ninguna casa .... mi marido .... vivir: unas están demasiado lejos, otras son demasiado pequeñas, otras muy caras... Es muy exigente.

Describe las cosas de la casa

a. ▶ ¿En qué habitación están?

El buzón · La estantería · El horno · La cómoda · El frigorífico · El espejo · La alfombra · La mesilla · El perchero

En el dormitorio · En la cocina · En el cuarto de baño · En el salón · Fuera de la casa · En el pasillo

b. ▶ ¿A cuál de los objetos anteriores corresponde esta descripción?

Es una caja pequeña de metal que está fuera de la casa y sirve para que el cartero eche las cartas.
↑ tipo   ↑tamaño   ↑ material   ↑ ubicación   ↑utilidad

c. ▶ Escribe la definición de tres objetos y tu compañero tiene que adivinar cuáles son. Después, tu compañero escribe y tú adivinas.

Simula: Negocia el alquiler de un piso

▶ En parejas, representa el momento de la visita al piso que quieres alquilar y llega a un acuerdo.

Alumno A (dueño del piso)	Alumno B (interesado en alquilar el piso)
1. El alquiler del piso cuesta 600 €.	5. Te gusta mucho quedar con amigos en tu casa.
2. Quieres una fianza de 400 €.	4. El frigorífico se ve un poco viejo, quieres que te lo cambien.
3. No quieres que el inquilino tenga animales en el piso.	3. Tienes un periquito.
4. En tu opinión, alquilas el piso en perfectas condiciones.	2. Puedes dar una fianza de hasta 450 €.
5. Está prohibido hacer fiestas.	1. Quieres regatear porque no puedes gastar más de 450 € al mes.

Paso 4 Ayuda a un amigo a
Repasa y actúa: tomar una decisión

1 (**Repasa cómo expresar causa y finalidad**)

a. ▸ **Completa con estos conectores.**

para ~~**porque**~~ **como** **es que** **por** **para que**

1. He quedado con Carmen .... comprar los billetes de avión y .... me explique qué documentación tenemos que preparar.

2. Mi sobrino se fue a vivir a una ciudad con mar .... su salud.

3. Van a hacer el viaje en tren .... les da mucho miedo el avión.

4. ¿Por qué no viniste ni llamaste por teléfono?

   .... tuve una reunión y salí de la oficina a las doce y cuarto de la noche. Lo siento.

5. .... está tan nerviosa por el viaje, el cambio de país y todo, no le hemos contado los problemas que tuvimos con el visado. Ya está solucionado, así que evitamos darle el mal rato.

b. ▸ **Completa con los verbos y los pronombres en la forma adecuada.**

1. Voy a ir a casa de Ángel para que (ayudar, a mí) .... a encontrar un vuelo barato.

2. No podemos pedir el visado todavía porque (faltar, a nosotros) .... algunos papeles.

3. Como (trasladarse) .... a Siena, están estudiando italiano por las tardes.

4. En realidad, no tiene necesidad de cambiar de país, pero quieren hacerlo para (vivir, ellos) .... una nueva experiencia.

5. Preferimos que los chicos vayan a estudiar a Estados Unidos para que (aprender) .... inglés mejor.

6. Ella no se va de momento, pero su marido tiene que viajar porque (ofrecer, a él) .... un nuevo puesto de responsable en su empresa y tiene que estar allí al menos dos años.

2 (**Repasa las oraciones temporales**)

a. ▸ **Relaciona.**

1. Todos los días voy al gimnasio…
2. Venid a casa…
3. Prepararon la cena…
4. No nos dijeron nada…
5. Iré a tu casa y te llevaré los libros…
6. Guardo las cosas…

a. … cuando llegaron del supermercado.
b. … cuando llego del supermercado.
c. … cuando salga del trabajo.
d. … cuando salgo del trabajo.
e. … cuando volvieron a la ciudad.
f. … cuando volváis otra vez a la ciudad.

b. ▸ **Completa con la forma adecuada del verbo.**

1. Nada más (saber) .... la noticia, empezamos a organizarlo todo.

2. Tenemos que tenerlo todo listo antes de que (volver, ellos) .... de la universidad.

3. Cuando (conocer) .... la nueva casa, se pondrán muy contentos.

4. Intentaremos estar en el aeropuerto antes de (empezar) .... los atascos de todas las mañanas.

5. Los llamaré después de que (terminar) .... de comer.

6. Te recogeré en tu casa en cuanto (decir, tú, a mí) ....

3 ⟩ **Repasa las oraciones relativas y el vocabulario de las cosas de casa**

a. ▸ Completa con la forma adecuada del verbo y relaciona cada definición con el objeto al que se refiere.

1. Estoy buscando un perchero que (poder) .... poner detrás de la puerta y que (ser) ....
   .... de color marrón para que combine con la habitación de los niños.

2. Necesitamos un frigorífico que no (consumir) .... mucho, que (tener) ....
   .... gran capacidad, porque somos seis personas en casa, y que no (costar) .... mucho.

3. Por favor, ¿puedes encender la lámpara que (estar) .... sobre la mesita?

4. Estoy buscando un espejo que no (ser) .... muy grande y que (tener) ....
   .... el borde de madera o de color oscuro.

5. Creo que mis gafas están en el cajón de arriba de la cómoda, que (tener) .... cinco
   cajones, donde (guardar) .... los calcetines.

6. Busco una estantería que (ser) .... fuerte y grande donde (poder) ....
   ...... poner mi colección de libros antiguos.

a.

b.

a.

b.

a.
b.

a.

b.

a.

b.

a.
b.

b. ▸ Relaciona.

1. Me gusta tener alfombras en casa…

2. Queremos comprar un perchero…

3. Se ha roto el espejo del cuarto de baño…

4. Hemos comprado un juego de cubiertos…

5. Acabo de encender el horno,…

6. ¿Has mirado en el buzón…

a. … para que los clientes puedan dejar sus abrigos.

b. … a ver si ha llegado la factura del móvil ya?

c. … compuesto de 12 cucharas, 12 tenedores, 12 cuchillos y 12
   cucharillas de postre por 15 euros.

d. … para que no se estropee el suelo.

e. … así que tenemos que comprar otro.

f. … por eso hay que esperar unos minutos antes de meter la *pizza*.

Acción

Lee este correo electrónico que te envía uno de tus mejores amigos y responde.

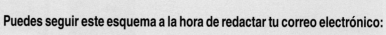

📖 Para:

📖 CC:

Asunto:

Hola, ¿qué tal?

Mira, te mando este mensaje porque ya sabes que confío mucho en ti y que me has ayudado siempre que lo he necesitado. Los consejos que me has dado siempre los he tenido en cuenta porque tus reflexiones me ayudan a tomar buenas decisiones en mi vida. Y ahora estoy en otro de esos momentos importantes para mí, ya verás…

Y es que no sé qué hacer… mi jefe me ha ofrecido ser el director del departamento de ventas internacionales de la empresa. Me paga más del doble de mi sueldo actual, pero tengo que irme a vivir a México D.F., porque nuestros principales clientes están en América. Son solo dos años y después vuelvo a mi país y me mantiene el sueldo nuevo, pero es que ya sabes que mi hija acaba de cumplir 18 meses y me gustaría verla crecer y pasar tiempo con ella y con mi familia. Me tendría que ir dentro de tres meses, pero tengo que responderle en 15 días.

Por una parte, es muy positivo en mi carrera profesional, también me interesa económicamente, pero ya sabes que la familia es muy importante para mí y que la niña es pequeña… estoy hecho un lío pero, de momento, creo que voy a optar por no aceptarlo… pero no sé si me arrepentiré.

Bueno, espero tu respuesta. A ver si nos vemos pronto y te cuento con más tranquilidad. Muchas gracias y un abrazo.

Puedes seguir este esquema a la hora de redactar tu correo electrónico:

1. Analiza los puntos positivos y negativos y coméntalos con tus compañeros para tener más argumentos sobre los que decidir.

2. Escríbele tu opinión y explícale las motivaciones de tu elección.

3. Expresa si estás de acuerdo o en desacuerdo con su idea actual.

4. Dale algún argumento más que puede tener en cuenta a la hora de decidirse.

Módulo 18

Haz trámites y solicita servicios

En este módulo vamos a...
escribir una hoja de reclamación.

Pasos

Paso 1: Soluciona tus problemas y devuelve un producto en una tienda.
Paso 2: Simula y haz una llamada a un profesional para concertar una cita.
Paso 3: Prepárate e informa y da un parte a una aseguradora.
Paso 4: Repasa y actúa, y escribe una reclamación.

el electricista

la jardinera

el pintor

el albañil

el técnico informático

el técnico telefónico

el fontanero

la mecánica

el carpintero

Paso 1 Devuelve un producto en una tienda
Soluciona:

Aprende a dar consejos

a. ▸ Lee y completa estos mensajes que algunos usuarios han publicado en un foro de Internet.

1. Ayer mi hija pequeña estaba comiendo helado de chocolate en el .... y esta mañana he visto que hay manchas. ¿Qué puedo hacer?

La batería

2. El .... de la tele cada vez funciona peor. No es problema de las pilas porque son nuevas, pero tengo que apretar mucho los botones para cambiar de canal o subir el volumen. ¿Sabéis qué puede ser?

El escáner

3. Tengo un problema con mi .... Se ha quedado un disco dentro y no sale. ¿Algún truco para no tener que llevarlo al servicio técnico?

El DVD

4. Buenos días. Necesito un consejo. Desde hace varias semanas la .... falla al arrancar. Tengo que hacer varios intentos. Finalmente arranca, pero estoy preocupado. ¿Pensáis que tengo que cambiarla o será otra cosa?

El mando a distancia

El exprimidor

5. Esta mañana no he conseguido que mi .... me prepare el zumo. Es raro: suena el motor, pero no se mueve... ¿Os ha pasado algo así?

6. Tengo que digitalizar algunos documentos y estoy intentando conectar mi viejo .... con mi ordenador nuevo, pero me sale un mensaje de error. ¿Tenéis alguna sugerencia?

El sillón

b. ▸ Relaciona las siguientes respuestas que han dejado estos usuarios con los mensajes anteriores.

☐ A nosotros nos pasó algo parecido y te sugerimos que lo desenchufes y lo vuelvas a enchufar.

☐ Te aconsejo que frotes las manchas con soda. Suele funcionar con el chocolate.

☐ Te recomiendo que abras el mando y lo limpies con alcohol. Así hará bien los contactos y te volverá a funcionar.

☐ Se está terminando la batería. Es recomendable cambiar la batería cada 20 000 kilómetros. ¿Lo has hecho ya?

☐ Es aconsejable que visites las páginas del fabricante para buscar las últimas actualizaciones.

☐ Yo te sugiero que pruebes a abrir el exprimidor y que lo limpies con vinagre.

c. ▸ Fíjate de nuevo en los consejos del foro, completa la explicación con algún ejemplo y reacciona a estas situaciones dando un consejo.

INFLUIR EN EL ESTADO DE ALGUIEN
(*pedir, ordenar, aconsejar, sugerir, prohibir...*)

Verbo de influencia + infinitivo
(en general o con el mismo sujeto)
....

Verbo de influencia + *que* + subjuntivo
(particularmente o con sujeto diferente)
....

1. El pantalón me queda muy grande porque he perdido 10 kilos.
2. Se han borrado todas las fotos de la memoria de mi cámara digital.
3. He perdido mi cartera con todas las tarjetas de crédito.
4. He comprado un videojuego que me ha costado 70 euros y en casa he visto que no me gusta nada.
5. Se me ha caído al suelo mi móvil nuevo y se le ha roto la pantalla.
6. La semana pasada me arreglaron el ordenador y hoy otra vez falla, va muy lento.

2 Familiarízate con los documentos relacionados con las compras

a. ▸ Identifica el tipo de documento.

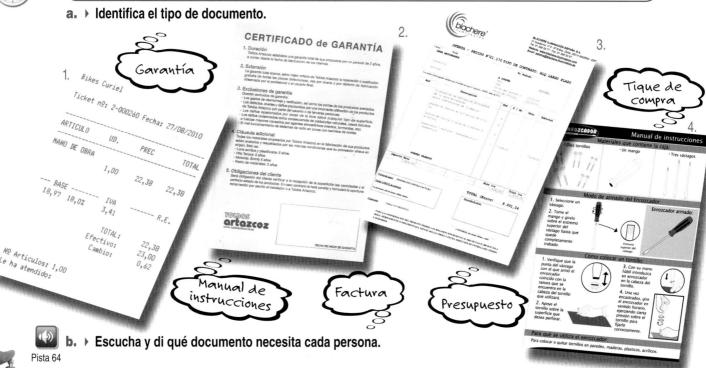

Garantía

CERTIFICADO de GARANTÍA

Tique de compra

Manual de instrucciones

Factura

Presupuesto

b. ▸ Escucha y di qué documento necesita cada persona.

Pista 64

3 Soluciona: Devuelve un producto en una tienda

▸ Elige una de estas situaciones, selecciona las expresiones que te parecen más adecuadas y simula la situación de devolución o cambio en la tienda.

Tener un roto.

Me sienta mal.

Me queda grande/pequeño/bien...

Tiene un defecto.

No se enciende.

Está estropeado.

Se ha roto la pantalla.

Todavía está en garantía.

Está bloqueado.

Se ha mojado.

Algunas teclas no funcionan.

Paso 2
Simula: Llama a un profesional para concertar una cita

Encuentra al profesional que necesitas

a. ▶ ¿A quién pertenece cada anuncio o tarjeta?

Se ofrece PINTOR con experiencia. Interiores y exteriores.
1.

a. ☐

¿Problemas con su lavadora?
¿El fregadero no traga?
¿Humedades en el baño?
FONTANEROS PROFESIONALES
fontanerosentredosaguas.org
2.

h. ☐

Albañiles
OBRAS Y
REFORMAS EN GENERAL
Se realiza presupuesto sin compromiso
Tlf.: 911102457
reformasmad@mad.com
3.

TODOELE
Electricista a domicilio
Servicio rápido
Precios económicos
Profesionalidad - Experiencia
todoele@todoele.es
952015429
4.

Telefónica España
Marco Ramírez
Técnico de telefonía e Internet
5.

Jardinero profesional
Se arreglan jardines y oficinas
mundoverde@gmail.com
6.

CARPINTERO-TAPICERO
Se arreglan muebles, puertas, sillas, ventanas y armarios. Se tapizan sillones y sofás.
Tlf.: 956 525 589
info@carpicero.net
7.

Esteban Jiménez
Técnico informático
CHIPS Y BITS
8.

g. ☐

b. ☐   c. ☐   d. ☐   e. ☐   f. ☐

b. ▶ Escucha y di qué profesional o profesionales necesitan estas personas.

Pista 65

c. ▶ Lee de nuevo los anuncios, busca ejemplos con los que ilustrar la explicación y completa.

mejorar   cobrar   realizar

ofrecer   hacer   solucionar

1. Se ofrece albañil para todo tipo de obras.

2. .... presupuesto sin compromiso.

3. .... trabajos a domicilio y no .... el transporte.

4. .... problemas técnicos con ordenadores y .... la velocidad de su conexión a Internet.

EXPRESAR IMPERSONALIDAD
Se + verbo en 3.ª persona singular (impersonal)
Se + verbo en 3.ª persona plural (sujeto plural)

Desenvuélvete al teléfono y aprende a dejar un recado

 ②

a. ▶ **Ordena los turnos de conversación.**

1 ● Dígame.

2 ● A las cuatro o cuatro y media.

3 ● ¿Qué le pasa?

4 ● Pero por dónde... y cuándo, ¿cuando lava o después?

5 ● A ver... ¿el miércoles por la tarde le viene bien?

6 ● Eso puede ser el filtro.

7 ● Sí, dígame, ¿en qué puedo ayudarle?

8 ● No, no... solo que estará sucio y hay que limpiarlo.

9 ● Alrededor de 40 euros.

a ● De acuerdo, muy bien.

b ● ¿Es grave?

c ● ¿Cuánto me puede costar?

d ● En principio sí. ¿A qué hora?

e ● Pues a mitad de lavado empieza a echar agua... por debajo.

f ● Hola, buenas tardes. ¿Es el fontanero?

g ● ¿Y cuándo puede venir a hacerlo?

h ● Pues que se le sale el agua.

i ● Mire, tengo un problema con la lavadora.

b. ▶ **Escucha e identifica qué recado corresponde a cada conversación.**

Pista 66

Fontanero.
Mañana, 16:00.

Llamar al pintor.
646557889
(hasta las 20 h)

Tienda informática.
Falta una pieza.
Ordenador arreglado la
próxima semana.

Reproductor
DVD listo.
Se puede recoger
de 10:00 a 20:00.

 ③

Simula: Llama a un profesional

▶ **Elige una de las siguientes situaciones y simula, con un compañero, una llamada telefónica.**

La persiana
no sube.

Has perdido
todos los números
de teléfono de
tu nuevo móvil.

Ha aparecido una
mancha de humedad
en el techo del salón.

Alumno A	Alumno B
1. Explica el problema.	1. Pide más información del problema.
2. Pide la opinión del profesional.	2. Haz una hipótesis o una posible explicación.
3. Pide presupuesto.	3. Da un presupuesto aproximado.
4. Concierta una cita para que visite tu casa o para ir tú a la oficina/tienda.	4. Queda en un día y una hora para la visita.
5. Pide información sobre la duración de la obra/el arreglo.	5. Da información sobre la duración de la obra/arreglo.

Paso 3 Informa: Da un parte a una aseguradora

Aprende a opinar y a hacer valoraciones

a. ▶ Lee este chat y completa la explicación.

Expresión de la opinión:

Creo que + ...ind...

No creo que + ...subj...

Rodrigo — Online — x Close

Rodrigo: ¿Te compraste la casa?

Martín: Sí, sí... ahora estamos con la mudanza.

Rodrigo: Pues ahora es necesario que contratéis un buen seguro de hogar.

Martín: Bueno, creo que tenemos ya uno: el que nos ofreció el banco cuando firmamos la hipoteca.

Rodrigo: Ya, pero es recomendable que busquéis otro que os dé mejores prestaciones y que sea más barato.

Martín: Bueno, no creo que sea un mal seguro el que ha ofrecido el banco, será como todos...

Rodrigo: No digo que sea malo, pero tal vez hay seguros mejores y es mejor mirar y comparar y, además, es bueno decidir cada cierto tiempo si es necesario cambiar.

Expresión de la valoración:

Es + adjetivo + ...subj...

b. ▶ Di si las siguientes afirmaciones son *verdaderas* o *falsas*.

	V	F
1. Martín se va a comprar una casa y busca un seguro de hogar.		
2. Rodrigo sugiere a Martín que no se conforme con el seguro estándar del banco.		
3. Los dos amigos tienen experiencia en seguros y les encanta hablar del tema.		
4. Rodrigo opina que lo mejor es un buen seguro y no cambiarlo nunca.		

c. ▶ Completa con los verbos en indicativo, subjuntivo o infinitivo.

1. Es imprescindible que (encontrar, nosotros) .... un buen seguro para el coche.

2. No creo que (querer, ellos) .... cambiar de aseguradora porque llevan 12 años con ellos.

3. Me parece que (ser) .... una buena oferta, ¿no crees?

4. Es muy bueno (tener) .... amigos o conocidos en bancos, te pueden ayudar mucho.

5. No es recomendable que (contratar) .... el primer seguro que nos ofrecen, es mejor (comparar) .... varias opciones.

6. Es necesario que el seguro (cubrir) .... los daños a terceros.

7. No pensamos que (encontrar, ellos) .... un seguro mejor que el que tienen ahora.

8. Pienso que (ser) .... complicado que la gente (elegir) .... una compañía de seguros por Internet.

2 Contrata el seguro de un coche

a. ▶ Escucha y completa la información que falta.

Pista 67

Nombre:

Edad:

Antigüedad de carné:

Coche: _____ nuevo / _____ de segunda mano.

Potencia del coche a asegurar:

Características de los tipos de seguro

A todo riesgo:

A todo riesgo con fianza:

A terceros:

b. ▶ ¿Cuál de los tres tipos de seguros elegirías tú? ¿Por qué?

3 Informa: Dar un parte a una aseguradora

▶ Rellena el parte para la aseguradora para que pueda gestionarse la reparación de los vehículos.

Vehículo A

Nombre: Pedro

Apellidos: García Olmo

Señale con una cruz el punto de choque:

Daños apreciados:

Circunstancias:

Vehículo B

Nombre: Agustín

Apellidos: Rodríguez Cristino

Señale con una cruz el punto de choque:

Daños apreciados:

Circunstancias:

Paso 4 Escribe una reclamación
Repasa y actúa:

1 Repasa y amplía el vocabulario de las cosas de la casa

a. ▶ Mira las fotos y completa con la palabra adecuada.

1. Tengo que enviar mi DNI por *e-mail,* pero no tengo _____ . ¿Me lo puedes digitalizar tú?

2. No podemos ver la película en casa porque el _____ está estropeado.

3. Este _____ es muy cómodo. ¿Dónde lo habéis comprado?

4. Ya está el pan en la _____ y el café listo. Pon la mesa, por favor.

5. Hay que comprar pilas para el _____, ya no funciona bien.

6. Enchufa la _____, por favor. Voy a leer un rato.

b. ▶ Elige la opción adecuada.

1. Quiero cambiar esta cafetera, pero no encuentro el tique de compra/el presupuesto.

2. Me han regalado esta impresora y ahora voy a la tienda para que me sellen el manual de instrucciones/la garantía.

3. Tengo que presentar la factura/el presupuesto a mi jefe para que me pague lo que he comprado.

4. ¿Has recibido el tique/el presupuesto del diseñador de la página web?

5. No encuentro el tique de compra/el manual de instrucciones y no consigo configurar la tele nueva.

2 Repasa y amplía la expresión de influencia

a. ▶ Elige y completa con el verbo en infinitivo o con *que* y el verbo en subjuntivo de acuerdo con tu elección.

1. [En general] [Solo los alumnos] Está prohibido (hablar) _____ en clase.

2. [En general] [Solo Luis] Es recomendable (beber) _____ mucha agua.

3. [En general] [Solo vosotros] Sugerimos (llamar) _____ al servicio técnico.

4. [En general] [Solo los empleados] Siempre pido (colaborar) _____ en todo.

5. [En general] [Solo nosotros] Me aconsejan (ir) _____ a la nueva tienda.

6. [En general] [Solo tú] Sugerimos (no comprar) _____ ese producto.

b. ▸ **Completa.**

1. El director nos ha pedido...
2. Los médicos recomiendan...
3. La oficina del consumidor aconseja...
4. Mamá te ha aconsejado...
5. El técnico ha recomendado...
6. Os sugiero...

③ Repasa la forma de dejar y tomar nota de los recados

Pista 68

▸ **Escucha y toma nota de los recados que dejan.**

④ Repasa y amplía la expresión de opinión y valoración

▸ **Completa con indicativo o subjuntivo.**

1. Creo que esta oferta (ser) .... la mejor, ¿no?

2. No sé, no creo que (llover) .... mañana. Podemos llamar a Juan para ir al campo.

3. Me parece que (llamar) .... esta mañana a Luis. ¿Le preguntamos qué le han dicho?

4. Opino que (tener) .... que cambiar toda la cerradura, no se puede arreglar.

5. El fontanero me dijo que venía a las seis, pero ya no creo que (venir) .... Lo llamaré mañana.

6. No esperamos que Juanjo y Ana (poder) .... acompañarnos porque están de mudanza este fin de semana.

7. Supongo que (invitar) .... a Isa y Macarena a la fiesta, ¿no? Pero no me parece que (ser) .... una buena idea.

8. ¿Qué hacen aquí tan temprano? Me imagino que (equivocarse) ...., voy a hablar con ellos.

Acción — Escribe una reclamación

Existen Hojas de Reclamaciones a disposición del consumidor o usuario

Región de Murcia
Consejería de Turismo, Comercio y Consumo
Dirección General de Consumo

901 501 601
www.murciaconsumo.com

Todos los establecimientos comerciales y de servicios al público en España tienen que tener hojas de reclamaciones para los clientes que quieran hacer una queja oficial y tienen que informar de ello con un cartel como este.

Completa esta hoja de reclamaciones con un caso real que te haya ocurrido (en una tienda de ropa, en un restaurante...).

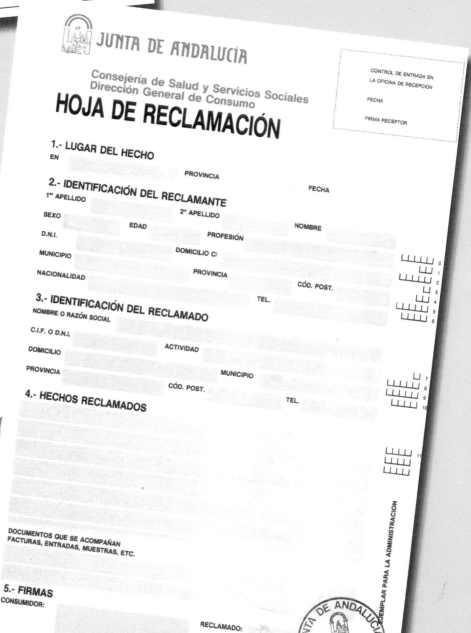

JUNTA DE ANDALUCÍA

Consejería de Salud y Servicios Sociales
Dirección General de Consumo

HOJA DE RECLAMACIÓN

CONTROL DE ENTRADA EN
LA OFICINA DE RECEPCION

FECHA

FIRMA RECEPTOR

1.- LUGAR DEL HECHO
EN
PROVINCIA

2.- IDENTIFICACIÓN DEL RECLAMANTE
FECHA
1er APELLIDO
2º APELLIDO
SEXO   EDAD   NOMBRE
D.N.I.   PROFESIÓN
MUNICIPIO   DOMICILIO C/
NACIONALIDAD   PROVINCIA
CÓD. POST.
TEL.

3.- IDENTIFICACIÓN DEL RECLAMADO
NOMBRE O RAZÓN SOCIAL
C.I.F. O D.N.I.
DOMICILIO   ACTIVIDAD
PROVINCIA   MUNICIPIO
CÓD. POST.
TEL.

4.- HECHOS RECLAMADOS

SERIE   CONTROL

DOCUMENTOS QUE SE ACOMPAÑAN
FACTURAS, ENTRADAS, MUESTRAS, ETC.

I271501

5.- FIRMAS
CONSUMIDOR:

RECLAMADO:

CONFORME CON LO EXPUESTO

EJEMPLAR PARA LA ADMINISTRACION

JUNTA DE ANDALUCÍA
CONSEJERIA DE SALUD Y SERVICIOS SOCIALES
DELEGACIÓN PROVINCIAL GRANADA